不安の時代の抵抗論

災厄後の社会を生きる想像力

田村あずみ

花伝社

※本書は、二〇一五年に英国ブラッドフォード大学に提出した博士論文を改訂した研究書「Post-Fukushima Activism: Politics and Knowledge in the Age of Precarity」（Routledge, 2018）の内容を、一般書として全面的に書き直し、加筆したものです。第六章については、二〇一八年の論文「『境界を越える』思想——震災後の知と平和学の役割」（平和研究五〇号）を大幅に改訂しました。二〇一九年度以降の研究はＪＳＰＳ科研費ＪＰ１９Ｋ１３９１１の助成を受けたものです。

不安の時代の抵抗論——災厄後の社会を生きる想像力◆目次

序

災厄は日常の表層を剥ぎ取り、それまで不可視化されてきたものと私たちの結びつきが露わになります。本書は震災を機に、そうした生の脆さに向き合った人々の行動の軌跡であり、希望の土台が崩れた地点から、どう私たちがつながり合って、より良い社会を実現できるかについての報告です。

3・11後の路上で私と言葉を交わしてくださったすべての方——この本にお名前のある方、言葉のみの方、ここに載せることのできなかった方々も含めて——に心からお礼を申し上げます。多くを学び、深く共鳴し、一緒に悩みながら、私の内側にたくさんの言葉を取り込み、路上でともに行動するうち、この抵抗の思想が少しずつ形を現しました。

それは、これまで英語の学術書に閉じ込められていました。今回それを、私が一番届けたかった人々——この国で抵抗を続ける人々やこれから加わる人々——に向けて出版できることになったのは、花伝社の大澤茉実さんのおかげです。3・11後の路上の抵抗者のひとりである大澤さんからの励ましと鋭い指摘を受け、思考はさらに練り直されました。運動に関わる様々な人々の思考と熱量の交差上で、この本を書き上げられたことを感謝いたします。

はじめに――なぜこの研究を始めたのか

私たちは視野を狭め、期待値を下げます。希望は私たちの生から消え、私たちの仕事から消え、私たちの思考からも消えてゆきます。革命という言葉、解放という言葉すら、馬鹿げたものとなってしまうのです。そう、もちろん私たちは老いてゆきます。しかしそれは問題ではありません。問題は若者もまた老いているということ、たくさんの若者が、ときには老人より年老いているということなのです。問題は世界が老いているということなのです。[1]

――ジョン・ホロウェイ

中学二年生のとき、世界は恐ろしく退屈でした。けれども自分が感じている不満に、退屈という明確な名はありませんでした。中学校は、のっぺりとした時間が滞留する空間で息苦しく、外部はありませんでした。ある朝、授業が始まる前、友人とトイレで喋っていると、友人が突然、窓を開けようと言いました。トイレには窓があるのに、開いているのを見たことがなかったのです。開け放つと田んぼの鮮やかな緑が目に入りました。淀んだ日常に、色と風が流れ込んだ瞬間でした。

そのうちチャイムが鳴って、私たちは開くべきでなかった窓を閉じるのに手間取り、教室の前まで戻ったころには授業が始まっていました。遅れて入って先生に怒られるのが嫌で、教室に戻らず隠れました。登校したはずの生徒が忽然と消えたことは、ちょっとした騒ぎになりました。

一方私たちは、日常に偶然開いた、その亀裂に魅了されました。友人がもう一人加わり、三人で授業をさぼるようになりました。先生や周りの生徒が私たちを見る目は変わり、私たちは孤立して、さらに教室から遠ざかりました。ひどく急な下り坂を転がり落ちているような気がしました。

もうやめようという話が、友人との間でどういう経緯で出たのか覚えていませんが、ささいな抵抗の代償が大きくなりすぎたし、いまなら道を引き返せるという判断があったと思います。「大人になろう」と納得し合いました。それ以降は何事もなかったように、真面目な生徒として高校へ進みました。与えられたルールの中で努力し、成果を得ることにそれなりのやりがいを覚えました。

けれども折に触れ、「ありえた自分」の影を見かけました。オウム真理教の地下鉄サリン事件に。ニュースを騒がせた少年たちの殺人事件に。あるいは国際社会に目を向けると、声をかき消された人々の訴えとしての暴力があり、それを沈黙させるさらなる暴力がありました。これらの暴力の中にも、かつての自分と同じ衝動を見ることがありました。閉塞した現状の外部を求める衝動です。私もそうなりえたかもしれないと思いました。もしもあのとき、自分が抱いた衝動をごまかして忘れることなく、より真摯に向き合って生きようとしたなら。

息苦しい現実とは別の配置を求める衝動は、暴力とならざるを得ないのか。他にどんな手段があったのか。それを考えたいと大学に進みましたが、答えを探すことは困難でした。現実の外を求める衝動が暴力へと向かう理由は、個人なのか社会なのか両方の問題なのか、社会ならばどのレベルか、解決策は何なのか。学問はそれなりの解答を与えましたが、そこに希望は感じませんでした。それは自分が探す答えではない気がして、かといって自分が何を知りたいのか分かりませんでした。それは探究できないものかもしれないと感じ、大学を出て就職しました。

二〇〇七年、「希望は戦争」と題した論文が議論を呼びました。当時、「三十一歳、フリーター」としてこの論文を発表した赤木智弘は、私より五歳年上です。赤木はこう宣言しました。自分にとって平和とは屈辱的な生の継続であり、その屈辱的な現実に変化をもたらす唯一の希望が戦争であると。[2] 閉塞的な現実の外部を求めるとき、彼もまた戦争という究極の暴力に希望を託したのです。

赤木にとって、革命は希望ではありません。革命とは多数派による権力の転覆行為であって、自分は決して多数派をつくれないと赤木はいいます。自分は「怠惰な」フリーターと社会から批判される身で、現在の社会構造の犠牲者として同情を集めることはできないと。

赤木は平等や民主主義といった普遍的価値にも希望を抱きません。戦争は貧困層に、より大きな苦難をもたらすと知識人たちが説得しても、彼は反発します。赤木は、彼より遥かに安定した生活を送る知識人たちの誰ひとり、自分に職や金銭の支援を申し出ることもなく、ただ自分の考える正しさを彼に説くだけであることに失望を表します。

当時、多くの知識人にルサンチマンと一蹴された彼の主張はしかし、現代社会の分断と閉塞をかなり的確に描写しています。すでにある程度の安定を得ている人々は、それを維持するため内向きになる一方で、その安定を失った人々、はじめからその外にある人々は、バラバラに孤立して苦境に耐えています。そして「いまここ」で苦闘する身体から目を逸らし、安全な領土で観念的な議論に興じる知識人に不信と怒りを強めていくのです。

このような中で変革の希望を描くとすれば、この社会全体に深い亀裂を入れるような戦争しかないという彼の希望なき希望は、政治的な抵抗の語りも想像力も存在しない現代の空気を体現しています。

赤木の希望なき希望が示したのは、人々の連帯の困難でもあります。赤木のようなフリーターだけでなく、正規労働者もまた、低賃金労働や長時間労働に直面し、身体的・精神的に疲弊しているのが現代社会です。正規労働者／非正規労働者／ひきこもり／あらゆるマイノリティの、経済的／精神的な苦痛。赤木と同年代の作家で活動家の雨宮処凛は、現代社会のこうした痛みや苦しみを「生きづらさ」と呼びます。それは日常の「外部」——いまとは違う可能性、別の考え方——を思考できず、ますます不安定になる日常を生きるために最適化する努力を強いられ、隣にいる誰かの痛みを想像する余裕もない私たちの社会に充満しています。

生きづらさを抱えながら、バラバラに生存の闘いを強いられる人々が、どのように連帯し、声を上げることができるのか。どうしたらその抵抗を、破壊のイメージとは異なる希望として描くことができるのか。それは私が知りたかった「何か」を、初めて納得のいく形で言葉に表した「問い」でした。

この問いを立てたとき、私は大学卒業後に五年間勤めた会社を辞め、海外の大学院で学んでいました。学問に戻ったのは、かつて抱いた衝動や、知りたかった何かにもう一度向き合いたいという思いを諦めきれなかったからでもあります。「外」への衝動を暴力でしか表現できなかった人々と自分を切り離し、全く別の人間のふりをして生きることはできませんでした。その過程で出会ったのが、冒頭にある社会学者ジョン・ホロウェイの言葉でした。

ホロウェイは、絶望する人々に対して希望を示したりしません。彼自身が絶望の中にあり、そこから抵抗に向けた彼の探究が始まります。

私たちはクモの巣に捕らえられたハエです。私たちは、そのような、もつれあった、めちゃくちゃな状態から出発するのです。ほかに出発点などありはしないからです。私たち自身の体験している違和感の外に立っているかのように装って、そこから出発することはできないのです。だって、そんなことをしたら嘘になってしまうからです。[3]

もがきながら、同じようにもがく人々とともに進んでゆく、その覚悟が「私たち」という主語に表れています。この「私たち」に明確な定義はありません。生きづらい現実の亀裂を探すすべての人たち、冷笑や諦めの側にも、自暴自棄な破壊の側にも呑み込まれることのない抵抗の主体が、ホロウェイのいう「私たち」です。ホロウェイの抵抗の思想の多くは、メキシコのサパティスタ運動に示唆を得たものですが、その象徴的な言葉が「道をたずねながら歩く」というものです。

私も、絶望のただ中から、手探りで歩いてゆくホロウェイの「私たち」に加わりたいと思いました。二〇一一年初頭のことでした。

この本は、ホロウェイのいう「私たち」の一部として、現代社会における抵抗の可能性を模索した、私の思考の軌跡です。主な舞台となっているのは、二〇一一年三月十一日以降の東京の路上、福島第一原発事故を受けて生まれた、反原発運動の現場です。

災厄も、赤木の戦争のイメージと同様に、既存の秩序体系に生じる亀裂、あるいは秩序の崩壊です。アメリカの著述家レベッカ・ソルニットは、ハリケーン・カトリーナなどの災害の後、被災地域に相互扶助の関係が生まれる様子を「地獄に築かれたパラダイス」として描き出しました。災害は、支配的システムの転覆と、新たな可能性の開示という点で、革命と共通するとソルニットは述べ、秩序が崩れ去った世界に生まれる連帯に希望を見出しています。[4]

もちろん災害そのものは希望ではありませんし、この本はユートピアの報告ではありません。ここにあるのは、災害の生んだ亀裂を通じて、これまで目をそらしてきた絶望と向き合い、混乱しながら考え、行動してきたたくさんの人々の軌跡です。首都圏でこれまで自分の日常を疑うことなく生きてきた人たちが、災害によって壊れた壁の向こう側の人々——それまで視野に入っていなかった福島の人々、原発労働者、未来世代——に向き合うことになったとき、何を思って路上に出たのか。何を思っていまも声を上げ続けているのか。これまでと別様に生きようとする、こうしたひとりひとりの努力が、抵抗を形づくると私は考えます。

災害を表す英語 disaster の語源は、星（astro）がない（dis-）状態だといいます。そこに希望を探す試みは、その暗い地表から、人々の指標となる新しい星を見つけるようなものなのでしょうか。私は、遠くにある光を希望とは思いません。その光が、すでに疲れ果てた身体に、立ち上がってそこへ向けて歩く力を与えるとは思いません。必要なのは、いまここ、闇の中で手探りできる希望です。

闇の中に生まれる希望。それは、私たちひとりひとりが、暗闇の中ですぐ隣にいるはずの、見えない他者と出会うために一歩を踏み出すことを、自分の内側から支える熱であり、本書で描きたかったのもそのような熱です。

注

1 John Holloway, "Zapatismo and the social sciences". *Capital & Class* (78), 2002, p. 154.

2 赤木智弘「『丸山眞男』をひっぱたきたい――三十一歳、フリーター。希望は、戦争」『論座（一四〇）』、朝日新聞社、二〇〇七年。

3 John Holloway, *Change the world without taking power*. 2nd edition. London: Pluto Press, 2005, p.5.［ジョン・ホロウェイ『権力を取らずに世界を変える』、大窪一志、四茂野修訳、同時代社、二〇〇九年、一一―一二頁］

4 Rebecca Solnit, *A paradise built in hell: the extraordinary communities that arise in disaster*. Penguin Books, 2010.［レベッカ・ソルニット『災害ユートピア――なぜそのとき特別な共同体が立ち上がるのか』、高月園子訳、亜紀書房、二〇一〇年］

第一章　「抵抗」はなぜ想像不可能になったのか

私たちは絶望の真ん中から始める必要があります。絶望を俯瞰してしまえば、出発点から偽ることになるからです。この章では現代社会の絶望の深部に分け入ることで、探索の出発点を明確にしたいと思います。

世界はいま、境界をめぐって二つの衝動に引き裂かれているように感じられます。一方にあるのは、窒息しそうな世界の境界を「開こう」とする衝動、日常の亀裂をつくろうとする衝動です。その受動的な形式として、その日常をまるごと破壊するような「何か」の到来への期待があります。そしてそれと対になるのが、不安定化した日常を守るため、外から侵入する影響を排除して「閉じよう」とする衝動です。得体のしれない異質な「外部」の力が、日常の安定を揺るがすことへの拒否反応です。

二つの衝動がぶつかり、暴力が生まれます。近年の欧米社会で台頭する排外主義と、過激派による一般市民をターゲットにしたテロ。閉ざすことで既存のシステムを安定化させようとするもくろみと、その既存のシステムによって不可視化された人々による、それを内外から破壊して開こうとする企ての間で暴力が増幅されてきました。

排外主義の背後にあるものを簡単に論じることはできません。米国のトランプ旋風や英国のEU離脱を支持した人々の中に、社会から見放されたと感じる地方都市の白人労働者が多くいたのは確かですが、ミドルクラスの支持者も、民族的マイノリティの支持者もいます。ただ、こうした政策を支持する人々の表面的利益は多様でも、その背後には、この時代に共通の情動や欲求があります。それは不安という情動、そして不安の時代に安定を求める欲求です。

人々の生は、これまでにないほど脆弱になっています。誰もが競争の勝者になれるはずもないのに、新自由主義的な価値観の中で、勝者になれなかったことは自己責任とされます。すでに下へとこぼれ落ちたか、ギリギリ踏みとどまっているか、まだそれなりの安定があるかは別にしても、不安は私たちの生の奥深くに根を張っています。

多様性や寛容さがもたらすであろう社会に希望を見出すには、私たちはあまりに疲弊しているのかもしれません。「ポリコレ（ポリティカル・コレクトネス）」が嫌われ、不寛容を批判するリベラル派の知識人（その多くはすでに経済的安定を手にしているように見える）に反感が向けられるのも、自然な反応かもしれません。一方そのような「不安な私たち」の日常や思考の中からは、さらに弱い立場の人々が締め出されてゆきます。

「私」はいま、仕事をして収入を得て生活しています。しかし、いま私を痛みの少ない位置にとどめ置いているシステムは、いずれ私を安定の外に放り出すかもしれません。では、このような暮らしの中で、より充実した生を求める私の衝動は、どこに向かえばよいのでしょうか。このシステムの中でより安定的な地位を手に入れる努力でしょうか。そしてそのシステムが少しでも長く維持されることを願うのでしょうか。すでにこのシステムによって多くの人々が生を脅かされているのを知っているのに？

不安は、より良い生を求める願望を分断します。そこでは、窒息するまで閉ざそうとする力と、破滅的なほど開こうとする力が衝突し、さらなる絶望が生まれます。日本におけるこの絶望は、無力感やシニシズムとして強く表れています。

自分に屈辱的な生活を強いる社会を変えるには戦争しかない、と赤木智弘が述べるとき、彼の衝動は閉ざされたものをこじ開ける暴力的な衝動と接続しています。しかしそれは自ら破壊を創造し、支配的システムに挑戦するテロリストとは全く異なります。そこにあるのは、運命のように戦争が降ってきて、既存の秩序を破壊するのを待つという、ひどく受動的な態度です。

一方日本では、日常で感じる痛みが暴力の形で噴出し、たびたび社会を震撼させています。二〇〇八年の秋葉原無差別殺傷事件では、当時二十五歳の派遣労働者が歩行者天国にトラックで突っ込み、さらにナイフで通行人を襲うなどして、七人を殺害しました。注目すべきは、その犯行動機です。彼はそれが社会へのアピールではなく、インターネット掲示板で嫌がらせをした匿名の人物に、事件を通じて痛みを与えるためだったと語りました。公判や彼の手記で明らかになった生い立ちや生活環境から、彼が疎外された生を送ってきたことは明らかにもかかわらず、彼自身がすべてを個人的な問題へと押し込めてしまったのです。

生の痛みの原因を特定できない。それを表現する言葉がない。あるいは苦痛として認識すらできない。そんな社会を私たちは生きています。個人の内部に蓄積した苦痛が限界に達し、自壊したり暴発したりするのをニュースで見ながら、私たちは日常を送っています。

ジョン・ホロウェイは言います。「希望は私たちの生から消え、私たちの仕事から消え、私たちの思考からも消えて」しまった。[1] しかしそれは一体どのようにして、私たちの思考から消えていったのでしょうか。

希望の語りと「理想の時代」

社会学者の大澤真幸は、著書『不可能性の時代』の中で、見田宗介の議論を引きながら、戦後日本社会をおおまかに二十五年ごとに区切り、三つの時代に分けています。[2] 現実に代わる「ここではない世界」のイメージ、つまり「反現実」のイメージが、戦後の日本社会で質的な変遷を遂げたと大澤は述べます。まずこの「反現実」が「理想」として明確に語られていた「理想の時代」(一九四五年〜一九七〇年)があり、それが消費社会の中で「虚構」として表象されるようになった「虚構の時代」(一九七〇年〜一九九五年)を経て、やがてその形を語ることのできない「不可能性の時代」(一九九五年〜)を迎えたといいます。

このように人々の行動や思考、渇望を一つの時代の傾向として一般化したり、特定の出来事をもって時代を区切ったりするのは、現実の複雑性を軽視することだとの批判は当然あるでしょう。しかしここでは、急速に変化する戦後社会に生まれるひずみに、人々がどう反応してきたかを概観し、まず現在地を明確にすることで、次章以降の私の探求へとつなげたいと思います。

大澤の議論では、終戦の一九四五年から一九七〇年までは「理想の時代」――つまり現実にとって代わる別の明確な社会のビジョンがあった時代です。一方で見田の議論では、「理想の時代」は一九六〇年の安保闘争をもって終了し、高度成長期の「夢の時代」へと変わっていきます。いずれにせよ、「反現実」を何らかの形で語りえた時代と理解できますが、見田の「理想」から「夢」へという変化は「反現実」の表象が、徐々に曖昧なものになっていったことを窺わせます。

大澤によれば、一九四五年から一九六〇年まで人々に「理想」と映っていたのは、アメリカが体現する価値観でした。戦前の価値判断の基準だった天皇が、戦後すぐにアメリカへと切り替わり、民主主義の理念から豊かな生活スタイルまで、来るべき社会のモデルを示したのです。この「理想」に強い疑念を呈したのが、一九六〇年代の学生運動であり、アメリカン・デモクラシーという「理想」に対峙するコミュニズムの「理想」が掲げられました。日米安全保障条約改定に反対する一九六〇年の安保闘争は、政党や党派学生の運動として始まりましたが、やがて条約改定を強行する岸内閣に対する国民的な倒閣運動に発展しました。運動がピークを迎えた一九六〇年六月十八日には、何十万もの人々が国会周辺をデモ行進。その翌日、条約は国会で批准されましたが、岸内閣は退陣に追い込まれました。

見田はこれ以降、一九六〇年代から七〇年代前半を「夢の時代」とし、経済繁栄や近代核家族という新たな共同体価値を享受し始めた時代と解説します。特に学生運動の第二波が訪れた六〇年代末からの数年間を、見田は「熱い夢」の時代と呼びます。ベトナム反戦運動が高揚し、世界的に若者が反乱を起こした一九六八年、日本の若者たちもその潮流にあり、各大学では学生たちが大学当局を相手に激しい抗争を展開しました。渦の中心の一つ、東大闘争は、登録医制度に対する医学部生の抗議活動に教授会が下した処分をめぐって、権威主義的な教授会への怒りが全学に広がりました。もう一つの中心である日大闘争は、数十億円の使途不明金問題を機に、私大の営利主義的経営や学問の形骸化などに反旗を翻すものでした。

全共闘と呼ばれ、全国に波及したこれらの学生運動の末期には、よく知られるように暴力の嵐が吹き荒れました。一部の過激化した学生が展開した暴力——セクト間の内ゲバ、メンバーの粛清、国内外でのテロ行為など——は、運動参加者の多くを失望させ、離反させました。そして変革への欲求そのものも消費社会の物語に飲み込まれ、システムに抗う動きは急速にしぼんでゆきました。この「政治の季節」の終わりとして語られる転換期が、大澤の時代区分では「理想の時代」(見田の「夢の時代」)の終わりと重なっています。

言語と肉体

全共闘は、メディアや学術研究の言説の中では、政治運動というより、自分探しや「革命ごっこ」のような文脈で語られることが多い運動です。その原因の一つは、学生たちを突き動かしたものが、既存の政治言語では表現しえない複雑な社会情勢とアイデンティティ認識に由来していたことにあると思われます。もちろんその複雑さゆえ、この時代を経験しておらず、専門的な研究者でもない私が、この運動を語ることはさらに困難なのですが、ここでは、この運動が直面した重要な課題である「言語化の困難さ」に論点を絞って考えたいと思います。このとき、見田が一九六〇年の安保闘争（六〇年安保）を、明確なイデオロギーに支えられた「理想」の時代の産物ととらえる一方、六〇年代後半の運動を、「反現実」の輪郭がより曖昧な「夢」の時代に分類していることの意味も見えてきます。

「一九六八年」という象徴的な年を含む六〇年代後半の学生運動を、六〇年安保と比較したとき、六〇年安保に政治性を見出すのは比較的たやすいでしょう。そこには明確な目的が示されていました。安保条約改正の阻止です。運動は、条約改正を強行する岸信介首相に対する抗議運動となって、一気に拡大しました。人々を運動に駆り立てた願望は、アメリカの戦争に巻き込まれずに現状の平和を守ること、あるいは戦時を連想させる岸政権の独裁的手法から、戦後日本社会の民主主義を守ることと表現することができました。このフレームでは、対峙すべき権力は運動参加者の外側に位置し、「抑圧的な権力」対「市民」という比較的明確な対立構造が示されていました。

一方で「一九六八年」の運動が提起した問題系のほとんどでは、こうした構図が不明瞭になっています。全共闘世代の小阪修平はこう当時を振り返っています。自分たちは、高度経済成長によって出現した社会に違和感があった、しかしこの時点では「『敵』がなんであるのか、そもそも『敵』が社会的・客観的なものであるのか、それとも半ば『個人的』なものであるのかさえもはっきりしなかった」と。

したがって批判のことばは古い革袋にもられた酒よろしく、まずは古い用語によって語られる。古い用語とはここでは戦後民主主義的な用語法や古典的なマルクス主義の用語法を意味する。これが六〇年代末の季節がかかえていた第一のねじれである。この新しく出現した社会への違和感や疎外感がある程度大衆的に共有されていたとして、その感覚とそれを表現することばの間のねじれとしてそれを定義しておきたい。[3]

なぜ「敵」が不明確だったのか。学生である彼ら自身が、すでに権力の中に囚われていたからです。彼らが生きていたのは、対峙すべき権力をもはや自分たちから切り離された「外側」に描くことができない時代でした。

そのため闘争の中では、大学そのものの解体が叫ばれました。十万人の学生を有する日大のような大学においては、支配者に都合のよい学生を大量生産する教育に反旗が翻されました。東大では国家権力を支える学術研究への批判がなされ、その批判はおのずと、そうしたシステムの中で勉学をする彼ら自身にも向かいました。

こうした闘争は「自己否定」という概念に特徴的に表れています。自分たちの日常を疑い、抑圧的な体制に加担する自分自身を批判する技法です。国家や資本が要求する知を生産する大学システムの内部に安住する限り、自分たちは社会における「加害者側」となります。だからこそ抵抗はまず自己を変革すること、そしてそれを通じてシステムを変えることと考えられました。[4]

自己否定の概念は、まずベトナム反戦運動において追求されています。一九六五年に発足したべ平連（ベトナムに平和を！　市民連合）は、複雑に入り組んだ権力関係を正視し、ベトナムを侵略するアメリカを糾弾するよりも、そのアメリカの片棒を担ぐ「われわれ」日本人の姿勢を問い正しました。六〇年安保が敵を自らの外に見出し、その敵から「平和と民主主義」を守る闘争として語られたのに対して、べ平連にとっての闘争とは、当時の活動家の言葉を借りれば、「何かから現状をまもる闘争ではなく、いまある社会の構造を変革する」[5]もの、また「極言をおそれずにいえば、破壊すべきもの」[6]だったのです。

自己否定は、この時代の複雑化した社会関係の中で倫理性を模索した概念といえます。私たちの生を抑圧するのは、政治機関や明文化された法律だけではありません。私たちがすでに受け入れた価値観のようなものが、他者や私たち自身の生の可能性を狭めています。その意味で「敵」は私たちに内在化されているのです。

こうした時代の抵抗は、これまでとは別の言葉によって組み上げた、新しい知によって裏付けされる必要がありました。「自己否定」もそうした概念の一つだったかもしれません。しかしそれが思想として語られる中で教条主義的な「古い用語」と結びつき、結果的にその実践をテロや粛清のような暴力に変形させたのではないでしょうか。

全共闘の学生たちは、新たな知を模索していました。既存の知の体系への批判は、東大闘争の核心でした。学生の問いかけに向き合わず、「理性の府」にふさわしい行為を取るよう説く教授たちは、学生の目には既存の権威にしがみつき、自身が学問の場で主張していることと矛盾した生き方を平気でする、無責任な知識人と映りました。東大全共闘議長を務めた山本義隆は当時、「彼らにとっては、いわゆる学問や思想は生き方とは無関係なのだ」[7]と切り捨て、「肉体をもたない思想」の空虚さを批判しています。学生たちは自分の身体で感じとった違和感を抵抗運動につなげようとしました。しかし彼ら自身もまた、言葉と肉体の亀裂を乗り超えることはできなかったのです。

学生運動が下火になった後も、自己否定の実践が消えたわけではありません。自らの加害性、権力性を問い直す実践を、その後も部落問題などのマイノリティ運動を支援する形で継続した人もいます。しかし自らも取り込まれている消費資本主義社会の権力関係そのものを問う試みは、学生運動の「失敗」という評価とともに中座し、むしろこのシステムは運用次第で個人に自由や平等をもたらすという信頼が広がっていったように思えます。

希望の語りと「虚構の時代」

「理想の時代／夢の時代」は大澤によれば一九七〇年、見田によれば七〇年代前半には転換期を迎え、以降は「虚構の時代」とされています。いまここにある現実を超える「何か」を求める欲求が、具体的な「理想」像を結ぶことなく「虚構」に変わった時代です。それはバブル崩壊まで続く消費文化のピークであり、商品を使用価値ではなく、広告によって生み出される記号的差異によって消費する時代であると大澤は述べます。

この時代の若者たちは、目まぐるしく映り変わるファッションやイメージの消費を楽しむ存在として頻繁に表象されます。田中康夫による一九八〇年の小説『なんとなく、クリスタル』にも、差異化された商品に囲まれた若者の日常が描かれています。この小説には、物語に登場する商品や音楽などに関して膨大な注が付けられ、やや皮肉めいた解説が付けられています。

このアイロニカルな態度もまた、虚構の時代の特徴といえます。大澤はそれを「アイロニカルな没入」と呼び、この時代に登場したオタクにその特徴を見出していますが、これは虚構の時代の消費の一般的特徴と言えるでしょう。大澤いわく、「アイロニカルな没入」を行う人々は、「それが幻想＝虚構に過ぎないことをよく知っているのだが、それでも、不動の『現実』

であるかのように振る舞」います。[8] 自分たちが消費するものの本質的価値を信じておらず、それが虚構であると分かったうえで、批判的な距離を置きつつも、あえてそれを消費して楽しむのです。

田中の小説のタイトルにある「クリスタル」は、登場人物が自分たちの世代を表現する言葉です。何も悩みがなく、一つのことに熱中することもなく、けれども空っぽでもないし、人の意見を鵜呑みにするほど単純でもない。このような無色でクリアで、けれども硬い「クリスタル」という自己イメージは、のちの時代と比べると興味深い指標となります。

作者の田中は当時大学生で、その執筆理由について「日本が物質的に豊かになった」にもかかわらず、日本の小説が相変わらず「人生、どう生きるべきか」といったテーマばかり扱うことが不満で、「豊かな日本に育ってきた世代が、気分よく暮らすことを、生活のメジャーにしている現象を描いている」小説を望んでいたと語ります。[9] この「虚構の時代」は、差異化された商品を所有することが生の充足だという消費社会の価値観が、社会に違和感なく浸透し、ほとんどの人にとって、その充足が比較的容易だった稀有な時代でしょう。

ちなみにオタクの存在は、トレンドとされるものの消費に、誰もが充足を得ていたわけではないことを示しています。ただ、消費社会のメインストリームからこぼれ落ちたものに強い愛着を持つのがオタクだとしても、消費を通じて充足を得ていたという意味で、彼らはやはり虚構の時代の基準に従っています。こうした時代において「現実の外部」への希求は、オカルティズムやファンタジーの世界への憧れとして現れたと前出の小阪修平は指摘します。満たされない現実の外部のイメージは、どこまでいっても虚構であり、その虚構は消費社会の内部で提供されたのです。

小阪は一九八〇年代に明るいニヒリズムが広がったとし、この消費社会の現実を受け入れて生きることを肯定したのがこの時代に輸入されたポストモダニズムだと主張します。[10] ですが、この議論はやや丁寧さに欠けます。いわゆる「ポストモダニズム」を紹介したひとりである浅田彰は、学術書としては異例の売り上げを誇った著書『構造と力』の中で、ジル・ドゥルーズとフェリックス・ガタリの思想を参照していますが、浅田はむしろ、それを当時の支配的価値観へのアンチテーゼとして用いています。

物質的豊かさにあふれた社会では、良い大学に行き、良い会社に入るという成功モデルが人々に共有され、誰もがこのレールに乗るべく猛進します。資本主義社会は人々の欲望を一つの方向へ流し込み、それを動力に発展します。そして大学教育は、その欲望を方向付ける整流器として機能していると浅田は批判するのです。彼が代わりに提案するのが、この一方向への怒涛の流れに対し、無数の渦や分流を発生させることです。「自己の狭隘な一貫性などにこだわっていないで、あらゆる方向に自己を開き炸裂させる」のです。[11] のちの『逃走論』では、同じ方向へ猛進する運動を「パラノ的」と表現する一方、それに対する「スキゾ的」思考として、このような逸脱の試みを推奨します。[12]

この提案自体は、消費資本主義がもたらす現状の肯定ではなく、権力作用への抵抗の語りと捉えるべきでしょう。ここで注意すべき点は、浅田がそれを「シラケつつノリ、ノリつつシラケる」[13]と称し、遊びの文脈で語っていることです。「シラケつつノル」ための遊びの土台は安定したものという仮定が窺えます。そのため彼の提言は、支配的な消費社会の基準から抜け出すことより、それに支えられた現状の中でいかに個人が楽しく生きるか、という問題に矮小化されているように思えます。

浅田の「スキゾ的」なアクターはフリーターと言い換えることもできます。八〇年代の日本社会におけるフリーターは、どこでどのくらい働くか自由に決定し、余暇を自分のものとして楽しむ、自立的で逃走的なアクターでした。長時間労働が当たり前の「会社人間」、サラリーマンに対するアンチテーゼでもありました。しかしバブル崩壊後の、より現代的な文脈では、フリーターは低賃金で社会保障のない不安定な労働形態であり、主体的に選ぶものというよりは、やむを得ぬ選択でなるものです。「スキゾ的」に支配的価値観を逃れていたように見えたアクターたちは、実際には好調な経済が一時的に生み出した箱庭のような安定的領土の内部で、カオス的な外界の影響にさらされることもないまま、自由の感覚を得ていたにすぎません。

「アイロニカルな没入」「シラケつつノル」といった技法のもと生きる（と想定される）人々には、独特のアイデンティティがあります。「クリスタル」な存在にせよ、スキゾキッズにしろ、消費を楽しむにせよ、知を探求するにせよ、それが遊びであるという認識なら、そこには主体があります。面白いと思うものを選び、本当に危険なものを切り捨てることができる主体です。「クリスタル」も「スキゾ」も、その名からして非一貫的な存在に違いないのですが、この自己はその非一貫性によって自壊しない、何らかの硬い殻を持っています。

浅田はドゥルーズとガタリの哲学を参照しながら「逃走」を推奨しますが、逃走を遊びと認識できる主体は、そもそも安定的領土を持っているのです。しかし彼らの哲学における逃走とは、安定的領土から逃れることです。ドゥルーズとガタリは、領土に安住しないノマド的な存在や、固定的な配置から漏れ出す「逃走線」に多大な可能性を見出していますが、それが自己を破壊し死を導く危険性についても同時に語っています。

八〇年代的な「クリスタル」と明確に対比される、のちの時代の有名なアイデンティティは、「透明な存在」でしょう。一九九七年、神戸連続児童殺傷事件を起こした当時十四歳の「少年A」の犯行声明にあった言葉です。彼は義務教育によって自分が「透明な存在」にされたと主張しました。状況に応じて親や教師の求める色を身にまとわなければならない——その時、当人は「透明」です。彼そのものは、誰からも見えません。彼は信じてもいない価値を主体的に選んで取り込んでいるわけではありません。特定の色になることを拒むこともできません。意味を理解しないまま、めまぐるしく様々な色を流し込まれているのであり、それを流し込む相手との間に「アイロニカルな」距離もありません。

ここでは、自己は当人にすらその形が分からない不定形の存在です。猟奇的な殺人犯という苛烈な色をまとったのは、社会にその存在を認めてもらいたかったから。そう訴える少年の声明に少なからぬ若者が共感を覚えました。彼は透明であり何者でもなく、それ故に世間の目にさらされることで、何者かとして特定されたかった。とすれば、そこに逃走する主体はそもそも存在していません。

浅田の「ポストモダン」的な提案は、消費資本主義に浸った日本社会の現状や知のあり方を肯定しているわけではありません。欲望を同じ方向に流し込む権力作用に加担する教育を批判し、新たな知を提示する試みは、六〇年代後半の学生運動が直面した「新しい権力への抵抗を新しい言葉で描く」という課題に、より現代的な目線から向き合います。ただ、明確なゴールもないまま現実の外側を探索する無節操な存在に抵抗を見る浅田の視点は示唆深いものの、逃走によって現実の配置を壊すリスクは軽視されました。彼が提示した逃走という「反現実」の実践もまた、安定的な領土という虚構を巻き込んで成り立っていたのです。

九〇年代のバブル崩壊やアジア通貨危機の影響を受け、日本社会は長い不況に陥りました。経済的安定に守られている間は、自由な消費者としての感覚が主体意識に反映されても、結局のところその多くは労働者という商品です。箱庭がなくなればノマド的フリーターはワーキングプアになり、逃走する主体ではなく疎外された客体になります。

「虚構の時代」の果て

大澤真幸は六〇年代から七〇年の「理想の時代」、その後の消費社会の全盛期に相当する「虚構の時代」に続く時代を、「不可能性の時代」と名付けています。つまり現実と置き換わるべき「反現実」を、いかなる形でも描けなくなった時代です。この「不可能性の時代」はいつ始まったのか。先に述べたような九〇年代の経済不況が、「虚構の時代」を成り立たせていた土台を浸食していったと考えられますが、大澤は「虚構」から「不可能性」の時代への転機の一つに、一九九五年のオウム真理教による地下鉄サリン事件を挙げています。

一九八〇年代にヨガ団体としてスタートしたオウム真理教は、物質的な豊かさを追求する生活を堕落とみなして批判しました。それは「虚構の時代」の成功モデルに従って、良い学歴を得、大企業に就職し、消費を楽しむというような人生に疑問を持つ若者の心を引きつけました。

十六歳でオウムに入会し、二十五歳で地下鉄サリン事件の総合調整役となった井上嘉浩は、中学時代にこんな詩を残しています。

朝夕のラッシュアワー／時につながれた中年達／夢を失い／ちっぽけな金にしがみつき／ぶらさがっているだけの／大人達／〔……〕／救われないぜ／これがおれたちの明日ならば／逃げだしたいぜ／金と欲だけがある／このきたない／人波の群れから／夜行列車にのって[14]

オウムは、現実に居場所を見つけられない若者たちにその「外」の姿を示しました。それはイデオロギーに基づく革命でもなく、所与の「本質」からの逃走でもありません。オウムは虚構の時代に、虚構をつなぎあわせて「本質的意味」をつくり上げたのです。オウムの教義は、チベット仏教やヨガやキリスト教の終末思想などの寄せ合わせであり、世界を救うという崇高な使命を信者に与える点では、当時のファンタジーアニメの想像力にも酷似しています。

オウムは虚構を足場に現実の革命を目指しました。宗教学者の大田俊寛によると、オウムの最終的理念は「宗教的な至高性を備えた神権国家の創設」[15]であり、実際、教団内部には疑似国家的な組織も確立していました。教団は一九九〇年の衆議院選挙に出馬したものの大敗。以後、自分たちが迫害を受けているという陰謀論に傾き、社会の「浄化」と称してボツリヌス菌散布など複数のテロ行為を画策しました。一連の生物兵器テロの試みが失敗した後、武器を化学兵器へとシフト。一九九四年に松本サリン事件を起こし、その捜査が教団に及ぶと、かく乱のために地下鉄サリン事件を起こしました。

オウム事件は、当時中学生だった私にとって「自分もそうありえたかもしれない」人々を発見した最初の出来事でした。「外部」を求め、実際に行動に出た人々です。しかし日本社会を研究するロバート・J・リフトンが述べるように、家庭にしろ、学校にしろ、会社にしろ、息が詰まる集団から脱しようとする彼らの努力は、「彼らが離れたその集団よりもさらに閉鎖的で一体主義的な新たなグループへの加入に通じていた」のでした[16]。

大田によれば、オウム真理教は近代への反動としての「ロマン主義的で全体主義的で原理主義的なカルト」[17]です。オウムに引き付けられた多くの若者は、経済的豊かさを追求する社会への違和感を持っていました。しかし同様の衝動に突き動かされた全共闘運動以上に、その抵抗はいびつな形を取りました。その政治的意図や無差別の残忍な大量殺人にもかかわらず（あるいはだからこそ）、オウム真理教の滑稽な異常さばかりがメディアで強調されました。超能力を持つとされた「グル」麻原彰晃、「ポア（救済）」という名の殺人、「サティアン」と呼ばれる化学工場などの施設群——教団が現実世界につくり上げた虚構の「反現実」は、テレビを通じて私たちの間でも消費されてゆきました。

井上嘉浩は事件後の手記で、社会に違和感を抱いた原点として、高校生のころ高齢者施設の老人たちの寂しそうな様子を見て、彼らが見捨てられていると憤りを感じたことを挙げています。そうして「人間がつくりだしてしまう罪や矛盾」を嫌悪し、「現代社会を変革しなければいけないと正義感に駆られ」てオウムに入信したものの、それは結局「自分たちの救済の物語に自己陶酔すること」であり、他者への共感を見失ってしまったと猛省します。そして以下のように記しています。

私は怒りを覚えるのではなく、深く悲しむべきでした。深く深く人間の悲しみを悲しむことによって、法律とは別に、何かしら罪を犯さずには生きていけない人間の姿を自分のものとして自覚すべきでした[18]。

ここにあるのもまた、一つの身体が感じ取った違和感を、救済の物語という安易な言語化によって解消してしまった後悔です。まずは悲しみという、自らの身体に突き刺さる痛みに深く降りてゆくべきだったとの示唆は重いものです。

終わりなき日常と「不可能性の時代」

「反現実」を記号化・商品化して戯れていた「虚構の時代」において、そうした消費社会を破壊しようとしたオウムの挑戦は、まぎれもない抵抗の試みでした。しかしその抵抗の語りそのものが虚構であり、抵抗は残忍なテロの形をとりました。社会学者の宮台真司が一九九五年に上梓した『終わりなき日常を生きろ』[19]は、オウム事件の処方箋として提示されました。そのメッセージは明快です。人生の意味などを問うのは危険だ。私たちは自分の生きる意味など問うことなく、現実の空虚さを受け入れて「終わりなき日常」を生きるべきだ、と。この本にも前出の井上嘉浩の中学時代の詩が収録されています。「こういうことを考えると道を誤る」と言わんばかりに。

終わりなき日常を生きる技法として、宮台は九〇年代の女子高生の生き方を挙げます。宮台にとって、女子高生の援助交際もそのような技法の一つでした。コギャルと呼ばれた女子高生たちは、自分たちの生の意味を問うような自我を手放している。だからこそ自分の身体を気軽に「オヤジ」たちに売って小銭を稼ぎ、消費を通じて即自的な欲望を満たすことで、終わりない日常を「まったり」生きることができるのだ。そう宮台は主張しました。

このロジックは、虚構の時代の価値観の踏襲、あるいは加速化です。ここではコギャルは、消費によって充足を得る主体として、八〇年代の「クリスタル」な世代と同列に描かれています。しかし両者の間には決定的な断絶があります。「クリスタル」な若者たちは、安全な領土の中で、消費を通じて退屈な日常の「外」の感覚を得ることができたかもしれません。しかし援助交際は、たとえそれが少女の選択だったとしても、彼女たちは極めて非対称の関係の中で、自らの生を商品化しているわけで、それは決して硬く傷つかない「クリスタル」たちの消費行動と同列に語れません。

援助交際は、一面では高校や家庭で押し付けられる役割やモラルからの解放を意味していました。しかし学校や家庭から逃走した瞬間、彼女たちは、別の非対称的な権力関係に取り込まれました。少女を性的対象にする中年男性に向けて身体を商品化するという行為の中に、消費社会のコードに従うことで「気分よく暮らす」という「クリスタル」な感覚はありません。日常の刺激を与えてくれる対象との間に、アイロニカルな距離もありません。虚構の意味を、信じていないけれどもあえて身に着ける生き方は、気楽な消費行為ではなくなっています。

援助交際は、意味のない現実を受け入れる技法ではなかったと評論家の宇野常寛はいいます。[20] そこにはむしろ、自傷的なパフォーマンスという意味が込められていたと。彼女たちの多くは、人生の意味を問うことを放棄したわけではないし、「終わりなき日常」をまったり生きる手段として身体を売っていたわけでもありません。むしろ自分たちの人生に意味を求めていたからこそ、オヤジたちに求められることを望み、あるいは自らの身体にトラウマ的な経験を刻むことを望んだのです。[21]

援助交際を「自傷行為」と読み解くとき、それは消費社会の中で「反現実」的な虚構と戯れながら「終わりなき日常」へ適応する技法ではなく、むしろ日常の「外部」を求める行為と考えることができます。しかしそれは、これまで抵抗の系譜のなれの果てのようなもの、抵抗という文脈のなくなった時代の身体に残された、痙攣のような反応です。日常は耐えがたいけれども、日常の外も想像不可能――そのような「不可能性の時代」を彼女たちは生きていたのです。そのとき唯一可能なのは、自身の身体に傷を刻むことで、出口のない日常に亀裂をつくることくらいかもしれません。

その意味で、ただ一つの想像可能な「外部」は死だったともいえます。宇野は「外部としての死」の想像力として、一九九三年に出版された鶴見済の『完全自殺マニュアル』を挙げています。「全面核戦争」の夢も消えてしまったいま「本当に世界を終わらせたかったら、あとはもう〝あのこと〟をやってしまうしかないんだ」[22]――そんな序文に続き、様々な自殺の方法が紹介されるこの本は、若者の間でベストセラーとなりました。
同時期に、やはり息詰まる日常の「外部」として死を描いた作品として宇野が紹介するのが、岡崎京子の漫画『リバーズ・エッジ』です。「あたし達の住んでいる街には／河が流れていて／それはもう河口にほど近く／広くゆっくりよどみ、臭い」という、閉塞感に満ちた主人公の独白から始まる作品は、分かち合えない孤独を抱え、いじめや暴力が蔓延する日常を淡々と生きる高校生たちが登場します。出口のない日常を送る高校生の「宝物」となっているのが、河原に放置された死体であり、この死体をめぐり、普段は感情が摩耗した若者たちの心の奥が一瞬だけ垣間見られます。[23]
なぜ「外部」はそこまで想像不可能になったのか。九〇年代に女子高生の援助交際と並んで、世間を騒がせたのが、大人たちにとっては「不可解」な少年の凶悪犯罪でした。中でも「少年A」による一九九七年の神戸の連続児童殺傷事件の犯行声明は、社会に衝撃を与えました。

ボクがわざわざ世間の注目を集めたのは、今までも、そしてこれからも透明な存在であり続けるボクを、せめてあなた達の空想の中でだけでも実在の人間として認めて頂きたいのである。[24]

宮台は、少年Aの殺人はオウム事件と比べて「脱社会的」だと論じます。[25] オウムは、日本社会の支配的価値観の中に生の意味を見出せない若者に、別の価値観に基づく「もう一つの社会」の希望を語りましたが、その想像力はもはや失効しています。「透明な存在」は、閉塞感に満ちた日常の外部に出たところで、ますます無力になるだけです。少年Aは「もう一つの社会」を求めることなく、個人的な犯罪によって、彼の充たされない生の意味を求めようとしました。抵抗の語りがすべて失効した中で、「この現実」とは別のものを求める衝動が、個別具体的な身体（自己または他者の身体）への暴力と接続されていったのが、「不可能性の時代」ではないかと思います。

「敵」のいないテロリズム

二〇〇八年六月、当時二十五歳の派遣労働者が、秋葉原の歩行者天国にトラックで突っ込んで人々をはね、さらに車を降りてナイフで殺傷するという事件が起きました。七人が亡くなり、十人が負傷しました。この無差別殺傷事件も、その動機の不可解さゆえに、かえって「不可能性の時代」の疎外の形を浮き彫りにする出来事でした。

メディアや研究者は、こぞって事件の背景を探りました。事件を起こした加藤智大は、自分の幼少期を振り返り、「母親の価値観が絶対的に正しいとされる中で育てられ」たと語っています[26]。成績優秀で教師に好かれる「良い子」であることを求められ、期待に応えられないと母から虐待を受けたといいます。虐待は何の説明もなく行われ、加藤はこうした環境の中で自分自身もまた、言葉ではなく痛みを与えることで相手に不満を伝えるようになったと振り返っています。

加藤が犯行時に非正規労働者だったことから、ワーキングプアの観点からも多くの議論がされました。将来の不透明さ、安定した所属の欠如がもたらすストレスや憤りが、犯行動機になったのではないかというものです。事件の数日前、加藤は職場でトラブルを起こしています。出勤した加藤はいつもの場所に作業着を見つけられず、誰かが自分を辞めさせるために嫌がらせをしているのだと思い込んで激怒のうちに職場を去り、その後一度も出勤することなく犯行に至りました。このような経緯を総合し、識者たちは加藤の無差別殺人を、社会への復讐か、少なくとも社会へのアピールとして読み解こうとしたのです。かつて神戸連続児童殺傷事件の犯人が、自分を「透明」にした義務教育や社会を敵と名指しして復讐を試みたように。

しかし公判で、加藤はこの見解を否定しました。犯行はインターネット掲示板で彼に嫌がらせをした特定の人間への復讐であり、個人的動機だと説明したのです。この説明は人々を困惑させました。それは見ず知らずの人間七人を殺害する事件の動機としては不釣り合いに「些細な」ものに思えたからです。

加藤はのちに手記でも、事件の動機が社会への復讐ではなかったと繰り返しています。この手記で加藤は過去を振り返りながら自己分析を試み、自分は常に「社会との接点」を求めていたと述べます。注目すべきは、彼がいう「社会との接点」が、実際には「誰かとの接点」であることです。例えば車好きの加藤は、あるとき予算をはるかに超える車を購入しますが、これは販売員のために購入したものだったと説明します。販売員が彼と「社会との接点」になるからです[27]。加藤は、自分が誰の心の中にも存在していないことを極端に恐れ、自分を必要とする誰かを必死に求めていました。

加藤は実社会にも友人を持っていましたが、彼の居場所はネットの掲示板でした。実社会において人と良好な関係を維持したければ建前を使う必要がありますが、ネットの匿名コミュニティでは自分に正直になれたといいます。ただし加藤は、ネット掲示板で自分が吐き出していたのは「本音」であるとしながらも、それは「本心」とは違うと説明します。彼は掲示板に集まる人々に気に入られるよう自分の語りを加工し、「彼女のいない不細工キャラ」を演じていたというのです[28]。掲示板もまた、自分の痛みを誰かと共有する場というよりは、「誰かとの接点」を維持する場だったのでしょうか。

つながりは、なぜ加藤にとってそれほど重要なのか。大澤真幸のいう「不可能性の時代」とは、普遍的理念を共有できない時代、みなが合意できる解を導き出せない時代、誰にでも実現可能な成功モデルが消えた時代です。つまり何が妥当かを知っている超越的な存在がいないということですが、それは人々がいかなる準拠も失い根無し草になったことを意味しません。こうした中で、人々は具体的な他者からのまなざしを求めるようになったと大澤は語ります。「不可能性の時代」の人々は、大澤によれば、他者を欲すると同時に他者を恐れます。自分の価値を認めてくれる他者が必要なのに、他者がみな自分を認めてくれるとは限らない。だから人々が欲するのは他者性なしの〈他者〉――自分に承認を与えてくれる一方で、決して自分の安全を脅かさない他者なのです。[29]

社会学者の土井隆義は、子どもたちが学校で自分の属するグループの調和を乱すことを極度に恐れ、グループの「空気を読んで」発言や行動をとることを報告しています。[30] 自分の「キャラ」をつくり上げ、そのキャラに沿った言動をすることが、彼らのサバイバル・スキルなのです。[31] 他者性のない予定調和の空間で、空気を読み合って互いに承認を担保する――その関係性がどれほど息苦しくても、別の誰かが自分の価値を証明してくれる保証がない限り、その関係性の外に出るのは難しいでしょう。

そもそもこれは市場の価値観でもあり、それが端的に表れるのは学生の就職活動でしょう。「新卒で就職」という標準ルートに乗るため、学生たちは自らの商品価値を高めることが求められます。自らを企業の求める人材へつくり上げてゆく作業は、エントリーシートを書くよりもずっと前から行われます。休暇をインターンシップに費やすこと、あるいはどの大学で何を学ぶかという選択の段階から。ここで「商品化」されているのは、純粋な労働力だけではなく生の可能性そのものです。学生たちは、自らの生を世間で価値があるとされる型にはめ込み、他のありえた可能性、ありえた生き方や考え方を手放してゆきます。

加藤の話に戻すと、彼の場合はつながりを得るため、ネットに依存するようになりました。

あるとき掲示板に加藤のふりをして書き込みを行う「なりすまし」が現れます。自分のアイデンティティを乗っ取られ、自分が「殺された」と感じた加藤は激怒し、復讐したいとの思いに駆られましたが、匿名の相手を特定することは不可能でした。自分が感じた痛みと怒りを見知らぬ相手にどうやって伝えるか。彼は掲示板に自分の殺人願望や計画をほのめかしました。なりすましがそれに気付き、罪悪感を抱くことを期待して。誰かに止めてほしかったと加藤はのちに法廷で述べています。けれども彼はナイフを購入し、当日にトラックを借りて東京へ向かい、最終的に掲示板のスレッドのタイトルを以下のように書き換えて送信しました。

秋葉原で人を殺します。車でつっこんで、車が使えなくなったらナイフを使います。みんなさようなら。

加藤は交差点に突入しようとして、三回失敗しています。本能的に体が拒否したのです。しかし後戻りできない彼は四回目に犯行に及びました。こう振り返っています。

事件を起こさなければ、掲示板を取り返すこともできない。愛する家族もいない。仕事もない。友人関係もない。そういった意味で居場所がない。そのように感じたのだと思います。[32]

彼自身が説明する犯行動機は個人的なもので、そこに政治的・社会的メッセージは読み取れません。しかし加藤の生い立ちや事件前の行動を丹念に追い、ルポにまとめた政治学者の中島岳志は指摘します。事件を起こそうとした「引き金」は些細なトラブルだったかもしれない、でも問題は彼を追い詰めていった「弾」の部分だと。実際、加藤自身が掲示板に書き残しています。「一つだけじゃない。いろんな要素が積み重なって、自信がなくなる」[33]。彼の内部に積み重なった苦痛は、彼の生い立ちや社会環境に起因します。家庭に、学校に、職場に、社会のどこかに居場所を見つけていたなら、掲示板のトラブルは「些細な」もので終わったでしょう。けれどもその居場所を掲示板にしか見つけられなかった彼にとって、それを奪われる苦痛は計り知れないものだったと想像できます。

加藤は自分が抱える痛みを、社会の問題と接続することはなかったのでしょうか。彼は法廷での証言の中で、派遣労働者として使い捨ての駒のように扱われることに疑問を抱いていたと語っています。けれどもそれは不満ではないとも説明します。疑問と不満の違いは何かと聞かれた彼は、不満とは受け入れられないことに抱く感情で、疑問とは受け入れたことに抱く感情だと答えています[34]。

ここにあるのは、抵抗を語れないという問題以前の問題です。不満を表明できない、あるいは不満を感じる能力すら失われているという問題。自分の痛みを痛みとして感じず、どこか客観的でぼんやりとした「疑問」という形でしか感じられないという問題。

二〇一〇年代に入って、群衆の中に車で突っ込むという無差別殺人を、私たちは世界各地のニュースの中に目撃するようになりました。それらが「テロ」と呼ばれる一方、秋葉原事件をテロと呼ぶことは難しいでしょう。そこには政治的動機が決定的に欠けています。しかし、彼と同年代の論客たちがこの事件を取り上げた、二〇〇八年の雑誌の表紙にはこうあります。「秋葉原無差別テロ事件――『敵』は誰だったのか？」[35]。

加藤が、自分を大量殺人へと突き動かした怒りの正体を名指しできているとは思えません。何が自分の痛みを引き起こしているのか分からず、そもそもそれが痛みだと主張すらしていません。ただ、敵が見えず意図が不明確だとしても、これをテロと呼ぶ意義はあると思います。より良い生を求める衝動が、意図や要求の形を取ることができないことこそ、現代社会の重要な政治的メッセージだからです。

戦場の希望

九〇年代以降の経済不況によって、現実の痛みは差し迫ったものとなる一方、現実の配置の「外」を想像することは、ますます難しくなっていきました。現実は息苦しくて仕方ないけれど、その外に出たら生きてゆけない。内側の閉塞と外側への恐怖の狭間で身動きできなくなったのです。すると変化を求める願望を失い、息苦しいけれど安定したシステムに留まって、少しでも良い位置を得ること、息苦しさをやり過ごすことに努力を向けるようになります。ホロウェイが言うように、「私たちは視野を狭め、期待値を下げ」たのです。希望は「私たちの思考からも消えて」しまいました[36]。

この「不可能性の時代」に、語ることのできなくなった変革の願望をあえて言語化するとどうなるでしょうか。「三十一歳のフリーター」として二〇〇七年に発表した論文で、赤木智弘は自分の希望は戦争であると宣言しました。一九七五年生まれの赤木は就職氷河期世代です。多くの若者が正社員になれず、低賃金の非正規労働者になった彼の世代は、「ロスト・ジェネレーション」と呼ばれました。経済的自立ができないフリーターとして実家暮らしをしていた赤木は、自分が惨めな生活を脱するための唯一の手段は戦争だと主張したのです。

二〇〇六年には、「格差社会」という言葉が「ユーキャン新語・流行語大賞」にランクインしています。日本研究者アン・アリソンは、著書『プレカリアス・ジャパン（不安定な日本）』の冒頭で、生活保護の辞退を強要された五十代男性が、「おにぎり食べたい」と書き残して餓死した二〇〇七年の事件を紹介し、餓死が珍しくなくなりつつあるほど、「日本は貧窮化している」と書いています[37]。

こうした中で、希望は戦争という主張は愚かな戯言といえるでしょうか。赤木と同世代の、反貧困活動家で作家の雨宮処凛も、かつて「戦場」を求めたひとりでした。学校でいじめを体験し、先の見通せないフリーター時代に自殺願望も持っていたという雨宮は、息苦しい現実の

「外部」をあらゆる形で求め続けました。

革命をしたかったという雨宮は、六〇～七〇年代の学生運動に憧れていました。しかし政治の季節はとうに終わり、「闘うべき敵がいない時代を強烈に恨んだ」といいます[38]。社会から自身を切り離すアイロニカルな生き方もできなかった雨宮は、まず民族主義団体に居場所を見つけ、さらに深く世界と関わり合うため北朝鮮へ、そしてイラクへ赴きます。

〔……〕私は世界の当事者でいたいのだ。この国にいたら命の使い道はあまりない。ぬるま湯の水責め地獄のような毎日は簡単に私から生きる気力を奪っていく。でも臨戦体制の場所に身を置いていれば危険と引き換えに死ぬほどの充実感に打ち震えていることができる。いつだって。どんな瞬間だって。私は傍観者でいたくない[39]。

戦場にある希望とは何なのでしょうか。闘うべき敵が分からず、痛みを表現し共有することも難しい状況下で疎外感を抱く個人が、より充実した生を求めるとき、「戦場」はかろうじて想像可能な「外部」として残っています。

「外部」としての戦争を求めた雨宮は、実際に戦地に身を運び、生の実感を自らの身体に刻もうとしました。雨宮はその後、本の出版を機にフリーターを脱します。そして不安定な暮らしを強いられる人や過酷な労働環境に置かれた人、人格を否定され自らの生の価値を見出せない人々をつなぐ「プレカリアート」という言葉に出会ったことで、労働運動に活路を見つけ出し、デモや集会に参加する一方、ライターとして若者や同年代の貧困の問題を積極的に伝えています。[40]

一方の赤木は、戦争という巨大な暴力がこの国に降りかかり、硬直した現状に変化をもたらすことを期待します。赤木によれば、戦争こそ彼の悲惨を打ち消します。戦争はみなを平等に不幸にします。兵士として尊敬も得られます。「経済弱者として惨めに死ぬよりも、お国の為に戦って死ぬほうが、よほど自尊心を満足させてくれる」[41]というわけです。しかし彼の議論の中で最も重要なのは、戦争による徹底的な破壊が、社会を流動化して価値転換をもたらすと期待する点です。

> 僕が望んでいるのは、『負ける戦争』です。太平洋戦争のあとの日本のように、今の体制が崩壊して、もう一度再スタートを切れるようにしてほしい。その意味では、外国に侵略されるのでも、大災害に見舞われるのでも同じことです。[42]

社会が変わるためには、破局的な出来事が降りかかり、その構造が根本的に破壊されるのを待つしかない、というこの態度は極端に消極的です。赤木は政治的行動に希望を見出していません。まず彼は労働運動に批判的です。こうした運動は正規労働者が自分たちの権益を守る運動であり、その権益すら持たない非正規労働者の現状は無視されていると主張します。革命への希望もありません。「革命という思想は、主張や行動が受け入れられるという社会への信頼が前提となっている」と彼はいいます。[43] 世間に怠惰な人間とみなされている彼が革命を呼びかけても理解を得られる見込みはないというのです。さらに赤木は政治的リベラルの言論にも期待しません。彼らが想定する弱者、保護されるべきマイノリティの中に赤木は含まれません。彼らが維持しようとする平和は、赤木にとっては屈辱的な現状の継続に他なりません。

　いまから十年以上前に赤木が表したのと同様の政治的失望は、近年世界中で反エスタブリッシュメントの感情として噴出しています。

連帯の困難

　戦争は、赤木にとって「上」の階層を引きずり下ろし、社会の再構成を行う手段です。ですが、彼が戦争によって引きずり下ろしたい相手は特権階級ではありません。

> 私が社会の流動性を高めるために戦争に巻き込まれてほしいのは、そうした一部の権力者よりも、私たちのような貧困労働層を足蹴にしながら自身の生活を保持しているにもかかわらず、さも弱者のように権利や金銭を御上に要求する、多数の安定労働層なのである。[44]

赤木にとってみれば、こうした「安定労働層」は、不安定な社会の中で自分たちの生活の安定を確保するため、赤木のようなより弱い立場にある人々の苦境を見て見ぬ振りし、さらなる孤立に追い込んでいるのです。赤木の主張には単なるルサンチマンと片付けるべきでない重要な指摘があります。彼の憤りが示唆するのは、現代において疎外された人々が連帯し、抵抗を形づくることの困難だからです。

二〇一一年、世界をアクティビズムの波が駆けめぐりました。反緊縮を訴えるスペインの「M15」運動、アラブの春と呼ばれた、民主化を求める中東諸国の運動、そしてアメリカのウォール街に端を発し、各国に広がったオキュパイ運動。特にオキュパイ運動が発した「私たちは99％だ」という言葉は、新自由主義的資本主義システムの中で、不安定さに直面する人々の連帯と抵抗を示すスローガンとなりました。

しかし赤木が指摘するのは「99％」の中にある断絶です。「99％」がみな変化を求めるのなら革命は可能ですが、実際には、日本社会の「99％」の大半が、赤木と連帯して社会を変えるより、現状を受け入れ、その価値観とシステムの内部で生きることを望んでいるように思えます。そしてそこには、「貧困は本人の努力不足」という現状にそぐわない価値観が強固に生き残り、赤木のような人々への同情を阻んでいることが窺えます。戦争という希望なき希望は、この「99％」の中の悲劇的なすれ違いに由来します。

赤木の「希望は戦争」論は、他にも重要な問題を投げかけます。それは、この時代に向き合う知識人の態度に関するものです。当時、赤木の主張にはリベラルや左派知識人から様々な応答がありました。戦争で最も苦しむのは、結局赤木のような経済的弱者だと諭す声もありましたが、こうした説得に彼は納得しません。戦争がもたらす再配置が、自分の地位を向上させる可能性が1％でもあるのならそれに賭けたいと思うほど、自分の状況は切羽詰まっていると赤木は訴えます。

戦争は悲惨だ。しかし、その悲惨さは「持つ者が何かを失う」から悲惨なのであって、「何も持っていない」私からすれば、戦争は悲惨でも何でもなく、むしろチャンスとなる。[45]

知識人たちは合理性に訴えたり、挑発したりしながら、赤木を諭しました。しかし果たして本当に、問題は赤木個人のルサンチマンだったのでしょうか。問題は、抵抗を語るための知や言語が存在していないことだったのではないでしょうか。しかもこの問題は学生運動が衰退した「理想の時代」の終わりから続いています。とすればまず責められるのは、この間の知識人の怠慢のほうでしょう。

赤木のリベラル批判も、世界各地で見られる反知性主義も、嫌疑を投げかけているのは知識人の主張の根拠や論理ではなく、むしろその倫理ではないかと思います。例えば赤木はこう述べています。「希望は戦争」論を公表することで、自分が知識人に期待した反応は、論理的な説得より、金や仕事のオファーだったと。知識人が彼に差し出した「正しい答え」と、不安定な生を強いられる彼が切実に求めたものには、絶望的な乖離があります。赤木があえて非政治的で破壊的な想像力を使って突き付けた現実——私たちの多くは既存の価値観に迎合し生きることがもはや難しく、しかし社会を変える政治的想像力も持っていないという窮状——に真摯に向き合い、絶望の中から新しい政治の概念や言葉をつくってゆくことが、知識人の倫理的な態度といえるでしょう。

「内部」における死

反貧困活動家の湯浅誠は、九〇年代以降の長期不況で非正規労働者が増加した結果、日本社会は「すべり台社会」化が進んだと述べます。低収入で不安定な雇用状態の中、社会保険や公的扶助のセーフティネットにも捕捉されない人々が、一度転んだだけで、どん底まですべり落ちてしまう社会です。「まじめに働き続けているのに、少年期・青年期の不幸・不運がその後の人生で修正されず、這い上がろうにもそれを支える社会の仕組みがない」と湯浅は指摘します。[46] 少年期・青年期の不幸・不運とは、親の死や病気、虐待などのほかに、赤木のように就職難の波をかぶった場合や、就職した先のパワハラや長時間労働で心身の健康を害し、退職した場合も当てはまるでしょう。こうして一度「標準」ルートを外れれば貧困と隣り合わせの生活が待っています。

戦後の経済成長を背景にした「日本型生活保障システム」は、終身雇用と年功賃金に守られた男性正社員と専業主婦という「標準」世帯の中で、生活保障が完結する仕組みとなっており、国家による社会保障制度は例外的な扱いに置かれてきました。ところがバブル崩壊と景気後退、そして九〇年代半ば以降に進んだ規制緩和で、こうした日本型の雇用体系が崩れ、とくに若年層の非正規労働者が急増しました。にもかかわらず、標準モデルからこぼれ落ちた人々を保護する仕組みは整っていません。彼らの貧困は、いまだに標準とされるものに達する努力をしなかった結果の「自己責任」とされがちです。

社会福祉学を専門とする金子充は、日本において貧困は不可視化されており、人々は同化・同調圧力によって「中流の国民」に仕立てられていると指摘します。[47] 標準＝「中流」のカテゴリからこぼれ落ちた人々の貧困と背中合わせの関係にあるのが、同化・同調圧力により「中流」に仕立てられた人々の痛みでしょう。それは、もう一つの日本社会の症候である過労死や過労自殺に現れています。

〈がんばれると思ってたのに予想外に早くつぶれてしまって自己嫌悪だな〉

そうＳＮＳに記した翌月、二〇一五年のクリスマスに、二十四歳の女性が会社の寮から飛び降りて命を絶ちました。二〇一六年秋に明るみとなった、電通の新入社員の過労自殺です。この女性は月百時間を超える残業のほか、上司からパワハラも受けており、当時彼女にはうつ病の症状があったことも推測されます。[48]

〈休日返上で作った資料をボロくそに言われた　もう体も心もズタズタだ〉〈もう四時だ　体が震えるよ…　しぬ　もう無理そう。つかれた〉〈生きているために働いているのか、働くために生きているのか分からなくなってからが人生〉〈土日も出勤しなければならないことがまた決定し、本気で死んでしまいたい〉〈はたらきたくない　一日の睡眠時間二時間はレベル高すぎる〉[49]

これらの投稿からは、深夜に及ぶ長時間労働や休日出勤で、彼女が心身とも極度に疲弊していたことが窺えます。しかし同時に感じるのは、もう無理だと誰かに助けを求めるというより、壊れてゆく自分をどこか突き放して報告をしているような自己完結した感覚です。

汐街コナの漫画『「死ぬくらいなら会社辞めれば」ができない理由』は、かつてデザイナーとして働いていた時期に過労自殺しかけた自身の体験をつづっています。本来なら死に追い詰められる前に分かれ道や扉はたくさんあるはずですが、「真面目な人ほどその道や扉を塗りつぶして」しまうといいます。転職先がないかもしれない、先輩や同僚はもっと頑張っている、親に心配をかけたくない、会社に迷惑をかけたくない、まだもう少し頑張れる。そう自分に言い聞かせ、他の道を塗りつぶしてしまうのです。その間にも長時間労働で思考力が奪われ、ハラスメントで心に傷を負い、心配する周りの声も聞こえなくなり、それでも進もうとする本人の視界には、他の可能性は見えなくなっているのです[50]。

若者から労働問題の電話相談を受け付けるNPO「POSSE」の岩橋誠も、長時間労働に追い詰められる若者たちが「ほかに選択肢はない」と感じているとBBCの取材に答えています。「そのまま辞めなかったら百時間残業を強いられる。一方で辞めれば生活できなくなってしまう」[51]。この非情な二者択一を前に、現実の「外部」への希望は消え、むしろ現実に適応する術を身に着けることに力のすべてを注ぐようになります。過労自殺問題に取り組む弁護士の川人博によれば、自殺した人の遺書に並ぶのは会社や上司への怒りではなく、期待に応えられなかった自分を責める言葉だといいます[52]。「外部」のない世界における生の苦痛は、その環境に適応できなかった自分の責任として自己完結してしまいます。

長時間労働は高度成長期から日本社会の労働慣行であり、過労死も一九八〇年代後半には社会問題として認識されています。当時はバブル景気の社会で、一家の稼ぎ手である四〇代、五〇代の正社員男性が膨大な残業をこなす中で過労死が多発しました。一方バブル崩壊後の社会では過労死・過労自殺が若者にも広がり、そこには貧困や雇用の不安定化が背景として横たわっています。正社員として入社した新卒の若者は、離職した場合に再び安定した正規職につける保証がないため、会社の理不尽な要請も拒絶しにくい現状があります。低賃金の非正規労働者は、複数の仕事を掛け持ちし、結果的に長時間労働を余儀なくされます。目の前の現実に必死に適応しようともがくうち精神的にも肉体的にも消耗し、最終的に自分自身からも見放された身体が、「内部」で力尽きているのです。

「不可能性」の先へ

戦後社会を二十五年ごとに区切るという大澤の視点を継続すると、一九九五年の「不可能性の時代」の始まりから二十五年後は、二〇二〇年です。すでに世界を席巻する感染症の災厄が、私たちの生の脆弱性を思いもしなかった形で暴き、社会は大きな転換を迫られています。私たちは、「不可能性」に代わる新たな「反現実」のイメージを描くことができるでしょうか。

大澤が「不可能性」という閉塞感のある言葉で表した時代には、それまで不可視化されてきたたくさんのひずみが拡大し、次々に露呈しました。不安定化した人々の生と、柔軟とは言えない社会制度の間のひずみ。これまでマジョリティの人々に共有されてきた価値観と、そこから逸脱した人々の願望の間のひずみ。この章で見てきたのは、こうしたひずみに引き裂かれた人々の反応の、ごく一部にすぎません。

私たちひとりひとりの、ニュースにならないような日常生活にも、ひずみが生んだ痛みがあります。しかし多くの人は、それが自分の生そのものを脅かすほど深刻なものとは考えていないかもしれません。そういうものだと受け入れ、自分はまだ大丈夫だと思っているかもしれません。

現代の若者が不幸だという一般的イメージに抗して、彼らは幸福であると主張したのは、若手社会学者の古市憲寿です。彼の二〇一一年の著書『絶望の国の幸福な若者たち』は、その前年の政府統計を参照していますが、そこでは二〇代の七〇・五%が、現在の生活に満足していると答えています。[53] 古市によれば、こうした若者たちは「コンサマトリー化」しており、より良い状況への変化を求めるよりも、「いまここ」で近しい友人と過ごすことに幸福を感じているといいます。

同書で古市は、若者がこうした自己充足的な生き方に満足すると同時に閉塞感を抱いていることを認める一方、その外部の「非日常」として途上国や被災地でのボランティアがあると半ば皮肉を込めて語ります。若者たちは、現実には課題が山積しているのを知っており、この国に希望を持っていない――けれども、ほかに選択肢がない中では、疑似的外部を取り込みながら日常を生きざるをえない。古市は最終的にそれを肯定し、「なんとなく幸せで、なんとなく不安」[54]な時代を自分たちは生きていくのだとして議論を終えます。

しかしすでに述べたように、飼いならされた「外部」を消費しながら、「終わりなき日常」を生きてゆけばいいという提言は楽観が過ぎます。安定した退屈な日常から都合よくアクセスできる「外部」というのは幻想にすぎません。

資本主義に対する主要な情動反応は、十九世紀には悲惨（misery）であり、フォーディズムの時代には退屈（boredom）だったが、新自由主義の時代にはそれが不安（anxiety）になった[55]――イギリスに拠点を置く研究者集団が、二〇一四年に発表した論文の中でそのように主張しています。日本においては、九〇年代以降の「不可能性の時代」は、この「不安の時代」に対応しているといえるでしょう。非正規雇用の実態を知り、過労死や過労自殺のニュースを見るにつけ、私たちが思い知るのは、古市が所与のものとして描く「日常」を手に入れ、維持することの困難や苦痛です。

「いま、ここ」の日常は脆弱な基盤の上にあります。日常の安定は、支配的な価値観に従っている限りにおいて保障されます。自分の属性や特性がその社会のマジョリティに属し、社会が求める能力（特に生産性と呼ばれるもの）と自分の能力がある程度一致するなら、ひずみには気づかなくて済むかもしれません。そうした人々は、必要なのは社会を変えることではなく、適応する努力だと主張するでしょう。しかし当人の努力にかかわらず齟齬は生じ、そのとき当たり前のように自分が受け入れてきた制度、価値観がとてつもない苦痛となります。学校、家庭、職場など日常のあらゆるところで、これまで当たり前だった価値観と、実際の私たちの生との間にひずみが生じ、それは疎外や貧困、重圧や漠然とした不安の形で私たちを追い詰めてゆきます。雨宮処凛はこうした苦痛を「生きづらさ」と呼んでいます。

「不安の時代」の不安は、人々を分断します。外部の想像力が消え、希望は消え、身動きが取れなくなった人々は、ますます権力の求めるものを忖度する能力を身に着けようとするかもしれません。外部への衝動をやりすごす言い訳を考え出そうとするかもしれません。あるいは生きづらさを緩和するため行動に出たものの、それが異質なものを排除する行動につながってしまうかもしれません。排除された人々は孤立し、自分たちの前で固く扉を閉ざして沈黙する社会の破壊にのみ、希望を見出すかもしれません。これらのすべての行動に意義を見出せない人、あまりに疲れ果てている人々は、苦痛を逃れるため、自分の生から退出してしまうかもしれません。

これがこの本の探求の出発点である「絶望」です。

苦痛を逃れ、充実した生を求める衝動が生み出してきた数々の痛ましい反応を、まずは自分のものとして深く悲しみたいと思います。そしてそれを最初の推力として、この「不可能性の時代」あるいは「不安の時代」の絶望を離れるための歩みを始めたいと思います。

そこには慎重さが必要になります。隷従や退避、排斥、そういった隘路を避け、別の可能性を創造し、ひずみを生み出すシステムを変える希望を語ること。しかもそれを急ぐあまりに、その希望を虚構と結びつけたり、変革ための行動を教条主義と結びつけたりすることもなく。絶望の中にある身体に根差した抵抗を描くこと。それがこの本のテーマです。

注

1 John Holloway. "Zapatismo and the social sciences". *Capital & Class (78)*, 2002, p. 154.
2 大澤真幸『不可能性の時代』、岩波書店、二〇〇八年／見田宗介『社会学入門――人間と社会の未来』、岩波書店、二〇〇六年。
3 小阪修平『思想としての全共闘世代』、筑摩書房、二〇〇六年、三六頁。
4 山本義隆『私の1960年代』、金曜日、二〇一五年。
5 武藤一羊「反戦運動と七〇年安保戦線」、小田実編『べ平連とは何か――人間の原理に立って反戦の行動を』、徳間書店、一九六九年、二九一頁。
6 吉川勇一「〝遊び〟で行こうべ平連（談）」、小田実編『べ平連とは何か――人間の原理に立って反戦の行動を』、徳間書店、一九六九年、三一四―三一五頁。
7 山本義隆『知性の叛乱――東大解体まで』、前衛社、一九六九年、二九頁。
8 大澤、二〇〇八年、一〇五頁。
9 田中康夫『なんとなく、クリスタル』、河出書房新社、一九八三年、二三〇頁。
10 小阪、二〇〇六年。
11 浅田彰『構造と力――記号論を超えて』、勁草書房、一九八三年、二〇頁。
12 浅田彰『逃走論――スキゾ・キッズの冒険』、筑摩書房、一九八四年。
13 浅田、一九八三年、六頁。
14 大田俊寛『オウム真理教の精神史――ロマン主義・全体主義・原理主義』、春秋社、二〇一一年、二三一頁。
15 前掲書、二七〇頁。
16 ロバート・J・リフトン『終末と救済の幻想――オウム真理教とは何か』、渡辺学訳、岩波書店、二〇〇〇年、二七七頁。

17 大田、二〇一一年、二七六頁。

18 井上嘉浩「未来の世代へ　二度と過ちが繰り返されないように」『Compassion 井上嘉浩さんと共にカルト被害のない社会を願う会』、二〇〇八年（二〇一四年加筆訂正）、〈http://www17.plala.or.jp/compassion/shuki.html〉。同様の事件の再発防止を願って有志が開設したウェブサイトより抜粋。二〇一八年に井上を含むオウム元幹部の死刑が一斉に執行された後、私は初めてこのサイトを知りました。

19 宮台真司『終わりなき日常を生きろ——オウム完全克服マニュアル』筑摩書房、一九九五年。

20 宇野常寛『ゼロ年代の想像力』、早川書房、二〇〇八年。

21 宇野によれば、宮台自身ものちの時代に「まったり生きる」技法としての援助交際という認識を撤回しています。前掲書参照。

22 鶴見済『完全自殺マニュアル』、太田出版、一九九四年、四頁。

23 岡崎京子『リバーズ・エッジ』、宝島社、一九九四年。しかし高校生たちが死体を宝物にするという描き方においては、結局は「死」すらも、出口のない日常をやりすごす「疑似的」な外部にすぎないと宇野は論じます（宇野、二〇〇八年）。

24 朝日新聞大阪社会部『暗い森——神戸連続児童殺傷事件』、朝日新聞社、二〇〇〇年。

25 宮台真司『終わりなき日常を生きろ——オウム完全克服マニュアル』、文庫版、筑摩書房、一九九八年。文庫版のあとがき部分にこの分析があります。

26 加藤智大『解（サイコ・クリティーク　17）』、批評社、二〇一二年、六五頁。

27 前掲書、一九頁。

28 ＭＳＮ産経ニュース『法廷ライブ　秋葉原連続殺傷　第十六回公判』、二〇一〇年七月二十七日。

29 大澤、二〇〇八年。

30 土井隆義『友だち地獄——「空気を読む」世代のサバイバル』、筑摩書房、二〇〇八年。

31 土井隆義『キャラ化する／される子どもたち——排除型社会における新たな人間像』、岩波書店、二〇〇九年。
32 MSN産経ニュース『法廷ライブ　秋葉原連続殺傷　第十七回公判』、二〇一〇年七月二十九日。
33 中島岳志『秋葉原事件——加藤智大の軌跡』、朝日新聞出版、二〇一一年、一九九頁。
34 MSN産経ニュース『法廷ライブ　秋葉原連続殺傷　第十九回公判』、二〇一〇年八月三日。
35 浅尾大輔他『ロスジェネ別冊——超左翼マガジン　秋葉原無差別テロ事件「敵」は誰だったのか？』、かもがわ出版、二〇〇八年。
36 Holloway, 2002, p. 154.
37 Anne Allison, *Precarious Japan*, Duke University Press, 2013.
38 雨宮処凛『戦場へ行こう!!　雨宮処凛流・地球の歩き方』、講談社、二〇〇四年、四四頁。
39 前掲書、七頁。
40 プレカリアートとは「Precarious（不安定な）」と「Proletariat（プロレタリアート）」を合わせた造語。特に若い世代のプレカリアートの苦境と、その抵抗の可能性についての雨宮の報告は、以下を参照。雨宮処凛『生きさせろ！　難民化する若者たち』、太田出版、二〇〇七年。
41 赤木智弘『若者を見殺しにする国』、朝日新聞出版、二〇一一年、二二八頁。
42 小泉耕平「赤木智弘　思想の源流」『朝日ジャーナル（週刊朝日緊急増刊）』、二〇〇九年、六〇頁。
43 赤木、二〇一一年、二三一頁。
44 前掲書、二三二頁。
45 前掲書、二二二頁。
46 湯浅誠『反貧困——「すべり台社会」からの脱出』、岩波書店、二〇〇八年、一六頁。
47 金子充『入門貧困論——ささえあう／たすけあう社会をつくるために』、明石書店、二〇一七年。

48 川人博「電通過労死はなぜ起きたか」『文藝春秋』、二〇一六年十二月号、三五四―三六〇頁。

49 毎日新聞『電通新入社員「体も心もズタズタ」…クリスマスに命絶つ』、二〇一六年十月七日〈https://mainichi.jp/articles/20161008/k00/00m/040/117000c〉

50 汐街コナ『「死ぬくらいなら会社辞めれば」ができない理由』、あさ出版、二〇一七年。

51 エドウィン・レーン「死ぬまで働く日本の若者『karoshi』の問題」『BBC NEWS JAPAN』、二〇一七年六月六日〈https://www.bbc.com/japanese/features-and-analysis-40169009〉

52 川人、二〇一六年。

53 古市憲寿『絶望の国の幸福な若者たち』、講談社、二〇一一年。ちなみに同じ内閣府「国民生活に関する世論調査」の二〇一九年度版を見ると、十八歳から二十九歳の二一・九%が「満足」、六三・九%が「まあ満足」ですので、古市と同じ数え方をするなら合計八五・八%が「満足」しているということになります。世代別で最も低いのは五十代で、「満足」九・五%、「まあ満足」五九・一%の合計六八・六%です。

54 前掲書、二六九頁。

55 Institute for Precarious Consciousness. "Anxiety, affective struggle, and precarity consciousness-raising", *Interface*. 6(2), 2014, p.273.

第二章 「外部」を思考するということ

絶望の中にある身体に根差した抵抗の希望を描くこと。それがこの本のテーマです。いまとは別の社会・生き方に関する構想は数多く存在しますが、多くの人がそれらに希望を託せなくなっています。この章では、実際に社会で起きている出来事から離れ、現代の政治や抵抗の思想として、学者からなされている提案を概観し、それらが前章で見てきた不可能性の時代、あるいは世界的な文脈では不安の時代の「絶望」に耐えうる思想なのかどうかを検討してゆきたいと思います。次章以降で、3・11という災厄から生まれた抵抗の実践を見てゆく前に、研究者としての私の立場をはっきりさせておくという意図もあります。

東大全共闘の元議長の山本義隆は、平和や民主主義、科学技術による進歩など、戦後日本において絶対的に肯定されてきた理念に疑問が生まれたのは一九六〇年代の終わりだと振り返ります。[1] この時代の若者が提起した矛盾とは、例えば日本の平和を守るという選択が、アメリカの核の傘に入ること、ベトナム戦争に加担することを意味してしまうことでした。あるいは科学技術が進歩し生活が豊かになる一方で、数々の公害が引き起こされ、人々に耐えがたい苦痛をもたらすということでした。

これらの理念や価値観の矛盾を指摘する声はいまも続いています。前章で検討した赤木智弘の「希望は戦争」論は、リベラルが賛美する「平和」が彼の悲惨を座視していると訴えました。世界各地に姿を見せる排外主義も、「自由」や「平等」といった理念こそが、自分たちを疎外していると考える人たちの異議申し立てです。人々の政治的無関心は、「民主主義」への失望の表れです。

ルサンチマンや不寛容や無関心として現れたこれらの訴えは、現在たいてい反知性主義の烙印が押されて片付けられてしまいます。しかしこれほど広範に、これほど根深く、普遍的価値への不信や懐疑が表明され続ける中で、それを単に反知性的なものと切り捨ててしまってよいのでしょうか。あるいは、そうした普遍的価値に問題があるとしても、がたついた土台を少しだけ修復すればすむことなのでしょうか。それが少なくない人々を疎外していることを認め、そうした人々も包括する概念としてつくり直すべきなのでしょうか。それとも思い切って、根本的に別の価値観を模索すべきなのでしょうか。

民主主義と普遍的価値

息苦しい社会の内部で沈黙のまま耐えるのでなく、暴力によって秩序を破壊するのでもなく、より平和的に社会に変化をもたらす手段を考える必要があります。民主主義の理念は、私たち市民ひとりひとりに、このような変化を生み出す力が備わっていると教えます。しかし問題は、少なからぬ人々がこうした理念や、その理念を実行してゆく際の政治の言葉に希望を見出せなくなっていることです。多くの政治概念が、個々人が生活の中で直面している具体的な問題とは、かけ離れたものに感じられるのです。

そもそも政治とは何でしょうか。政治学者のジェリー・ストーカーは、政治参加の重要性を述べた著書で、それを「集団的行為による意思決定」であり、「妥協に達すること、対立する人たち同士が、どうにかうまくやっていく方法を見出すこと」、「ルールに関するもの、私たちの社会の秩序に関するもの」[2]と説明します。

ここに「意思決定のプロセス」としての政治と、「秩序をもたらす統治」としての政治という、異なる性質が見えてきます。このうち、統治としての政治に主眼を置くと、その統治主体の正統性をめぐる議論がされます。そして誰もが合意できるような普遍的価値に基づいて統治される、秩序立った世界が目指されることとなります。既存の普遍的価値が空疎になり、多くの人の希望とならなくなったならば、普遍的価値を更新する試みがなされます。

その最たるものが政治的リベラリズムの再興の試みであり、代表的なものを挙げれば、ジョン・ロールズの正義論になるでしょう。人々がそれぞれ異なる信念や価値観を持っていても、ある条件を整えてやれば、正義という普遍的価値にみなが合意できるとロールズは考えます。

その条件を作るのが「原初状態」における思考実験です。[3] 人々は意思決定の過程で、自分の合理的利益を追求します。しかし原初状態における人々は「無知のヴェール」を着けているとされ、自分自身の社会的地位や財産、健康状態すら知ることができません。そのため、自分が最も恵まれていない状態だと想定してルールをつくらざるを得ません。よって、仮想の原初状態にある人々は、「公正としての正義」の原則に合意できるとロールズは考えます。

ロールズは、こうした仮想の原初状態において人々が合意しうる普遍的な正義の原則を二つ挙げます。第一に、すべての人々が権利や自由を平等に享受すること。第二に、不平等は、最も恵まれない人を利することで全体にとっての便益となる場合のみ、正義にかなうとして許されることです。[4]

ただし彼の思想の魅力は、この正義原則そのものより、原則を導くための設定にあるように思います。この複雑で不確実な世界において、人々はどうやって普遍的原理に合意できるのか。この難問に答えるため、ロールズはあらゆるアイデンティティの差異が消える環境を想定します。仮想とはいえ、このアイデンティティの消去は、前章で見た災害や戦争の想像力と似ています。みながすべてを失うことで、利己主義は意味をなさなくなるのです。

一方、このようにして原初状態から普遍的な正義原理が導き出されたとしても、それを現実世界に適用しようとすると問題が生まれるように思います。この普遍的原理は人々の合意によって正当化されるものですが、そもそもの合意形成に人々が直接携わっていないからです。

もちろん、ロールズの頭の中では、無知のヴェールを着けた市民がすでに合意したことになっています。しかし果たして、現実社会においても、市民はこの仮想的に合意された正当な原則に従って自発的に行動するでしょうか。

理性への信頼

ロールズの理論において、異なる社会的・文化的背景を持つ人々が一つの原理に合意できるのは、合意を形成する仮想世界において、彼らが現実の複雑な社会関係から完全に切り離れているからです。しかし彼が導き出した原理は、法などの形を取って実社会で適用されるべきものです。実社会の市民は、当然のごとく異なるアイデンティティを持ち、異なる財産状態・健康状態にあります。正義原理の妥当性が理論上証明されていても、市民が実社会でこの原則に従うかどうかは分かりません。

この点で、ユルゲン・ハーバーマスはロールズを批判しています。原初状態で基礎づけられた原理は、「血肉をそなえた現実の市民」の「批判にさらされねばならない」というのが彼の主張です。[5] 普遍的な正義原理が哲学者の頭の中でのみ導き出されるとき、そこには哲学者が市民の決断の機会を奪うパターナリズムの危険があります。だからこそ、あらゆる差異が消された仮想状態ではなく、あらゆる差異の渦巻く現実の複雑性のただ中から、普遍的価値を導き出さなければなりません。

ハーバーマスは、哲学者の熟考の代わりに、実際の市民のコミュニケーションから普遍的価値観を導き出せると主張します。彼によれば、フェアで公正な決定を行うために必要なのは無知のヴェールによる情報の遮断ではなく、「自由で平等な参加者間の強制のない開かれた討議」[6]です。こうした討議倫理が「われわれというパースペクティヴ」を構築し、普遍的な利益が特定され、それに基づいた決断がなされるというのです。

ここでハーバーマスが信頼を置くのは、内面化した道徳的価値観に基づいて決断を行うような自律的主体の理性ではなく、人々のコミュニケーションから事後的に派生する「コミュニケーション的理性」であり、こうしたコミュニケーションの場が、彼が「公共圏」と呼ぶものです。それは秩序の形を取りません。公共圏とは、制度やシステムとして捉えることのできない「コミュニケーションのためのネットワーク」であり、ここで形成された影響力が制度化された政治へと波及するのです。[7]

ハーバーマスの想定する普遍的価値は、ロールズよりも開かれたものです。ロールズは普遍的な正義原理がどんなものかをあらかじめ特定していますが、ハーバーマスが特定しているのは、普遍的原理を導き出す手順のみです。ロールズの場合、ある決定に正当性が付与される条件は、それがすでに合意された（ことになっている）正義の原則に合致しているか否かですが、ハーバーマスの場合、妥当なコミュニケーションの中で生まれてきたか否かです。統治より意思決定のプロセスに注目するハーバーマスの理論は、本質主義から一歩遠ざかっているように思われます。

ただし、より本質主義を警戒する立場から見れば、ハーバーマスもまた、本質主義的な面を多分に残しています。コミュニケーション的理性は、そこから生まれる結果に関して何も言いませんが、その手順としては「正しいやり方」が特定されています。自由で平等な討議を保証するために、あらかじめ決められたルールがコミュニケーションの方法を制限しています。特にコミュニケーション的「理性」からは感情が排除されます。[8]

さらに考えるべきは、熟議を通じてフェアで正当な価値体系を得ることに、人々はそもそも興味がないかもしれないということです。広告メディアを通じて、多くの人はすでに何らかの価値観を受け入れ、それに満足しているように見えます。

ここにあるのは動機の問題です。ロールズの議論では、正当な普遍原理さえ特定すれば、人々が実社会でそれに従ってルールをつくり、ルールにのっとって行動することが前提になっています。ハーバーマスの議論にしても、普遍的価値を見つけ出すための正当な手続きを特定すれば、人々はそれに参加するという前提になっています。しかし、原理や手続きの正当さを学問が証明すれば、人々はそれに自発的に従うのでしょうか。先行きが見えない不安を抱え、痛みを伝える相手もいないまま孤立する人々は、与えられた理論が正しいからといって、その原則に忠実に従ったり、面倒くさい政治プロセスに参加したりするのでしょうか。

そうでないからこそ、私たちは民主主義の危機に瀕しているのではないでしょうか。

情動と民主主義

こうした理性への過剰な信頼に疑問を投げかける形で、リベラル政治思想を再生させようという試みもあります。哲学者リチャード・ローティが提唱する「リベラル・アイロニズム」は、誰もが正当と認めるような基礎づけを探すことをやめるよう説きます。ローティは、自分が抱く信念は歴史的な偶然によって生まれたという「アイロニズム」を取りながらも、人々が連帯することは可能だと主張します。それは無知のヴェールによって発見される正義や、熟議によって導き出された理性がもたらす連帯ではありません。ローティは、「私たちが、僻遠の他者の苦痛や屈辱に対して、その詳細な細部にまで自らの感性を拡張することによって、連帯は創造される」といいます。[9]

一方ローティもまた、異なる背景を持った人々が最終的にリベラルの価値のもとに調和を達成し連帯できると信じる点で、これまでの論者と変わりません。異なるのは実現方法だけです。ハーバーマスやロールズは理性が導きだす「正しさ」から普遍的価値を見出すのに対し、ローティは他者の苦痛に対する「想像力」こそが、残酷さを回避するというリベラルな制度への合意と連帯を可能にすると信じます。

この前提そのものを疑うのが、政治学者のシャンタル・ムフです。ムフは情動に政治性の契機を見るローティを評価しつつも、人々がリベラルの価値に向かって進化を遂げるという彼の想定に、普遍主義の残滓を見ます。[10] ムフは、政治的なプロジェクトを合意や調和のモデルから解放すべきだと説くのです。

ムフによれば、現代社会の人々が政治に失望を抱く根本原因は、対立を回避して妥協的にコンセンサスを形成し、既存の秩序の維持に腐心してきたエリートの政治技法にあります。一般市民は専門家たちの政策を追認するだけで、政治的意思決定から除外されてきました。この状況を変えるべく、ムフがまず提唱したのが「闘技的民主主義」です。民主主義とは様々な政治的要求の対立であり、そうしたものの衝突の中で政治の方向性が決まるというのです。ムフは、エリートが民衆の声を踏みにじって決断を独占しようとするなら、民衆の側は対抗ヘゲモニーを形成して、ヘゲモニーを「多元化していく」ことを目指すべきだといいます[11]。

ムフは近年の排外主義や反エリート主義の台頭を踏まえ、近著ではこの闘技的民主主義論をポピュリズムに接合しています。ムフいわく、ポピュリズム現象とは、既存の政治概念では定義できない諸要求、新自由主義の現実を生きる人々の満たされない諸要求が噴出したものです。自分が置き去りにされたという感覚が、政治を既得権維持の手段として利用するエリートへの反発となり、一九九〇年代に「右派ポピュリスト政党が、エリートに奪われた声を『人民』に取り戻す存在として現れた」のです[12]。

情動を発露にしたポピュリズムには批判も根強くありますが、ムフはここに民主主義の源泉を見ます。重要なのはポピュリズムを排外主義に向かわせないこと——つまり、人々の満たされぬ要求を国家主義的な言葉で表現する右派ポピュリズムに接続するのではなく、共通の敵に立ち向かうことで新しい主体「人民」を形成するような左派ポピュリズムへ接続することが必要だといいます。

ムフの左派ポピュリズム戦略は、議会や政党など既存の政治制度を通して実行されるものです。この点において、現在の政治不信を国家や代表制民主主義そのものの問題と捉え、別の形の政治を構想する思想（主にアナキスト思想）とは立場を異にします。国家や代議制度から逃走するより、「関与」すべきだというわけです。ムフにとって国家とは、廃棄されるべき抑圧的機関ではなく、かといって様々な集団の利害調整をする中立的な機関でもありません。国家は闘争の領域であり、様々な勢力がヘゲモニーを競う公共空間だとムフは主張します[13]。

ここで疑問がわきます。新自由主義のなかで「取り残された」と感じている人々の情動は、そのすべてが既存の政治システムを通じて実現される要求になりうるのでしょうか。ムフは、情動が政治的要求を形成するのは自明のことと考えています。現在、右派ポピュリズムに注がれている人々の情動は、そもそも政治的で民主的な要求なのだから、これを排外主義ではなく寛容や平等などの価値観とつなげばよい、というのがムフの主張です。ただ、日本の現状を考慮すれば、この主張は楽観的に感じられます。人々の不満や痛みが政治的要求につながるまでに大きな障壁があるからです。

排外主義は近年、日本でも目立つようになっています。中でも「在特会（在日特権を許さない市民の会）」が行うデモや街宣活動には、在日韓国・朝鮮人に対するヘイトスピーチが含まれます。彼らは、その名称が示す通り、在日の人々が持っているとされる「特権」によって自分たち日本人が逆に差別を受けていると主張します。

これはムフの考える「右派」ポピュリズム的情動に近いものであり、彼らの主張は一見すると政治的です。しかし在特会が主張する在日の人々の「特権」とは、実際には特権とは言いがたいものです。また、在特会は「特権」を排することを目標と述べる割に、政策決定に真剣に関与しようとするのではなく、マイノリティを蔑む街頭活動を繰り返してきました。そこにあるのは、グローバル化で不安定な生を強いられる者たちの、抵抗としての政治要求というより、自分よりさらに弱いものに向けられる憎悪です。それでも彼らはまだ形式的には政治的要求を掲げている方です。生の痛みや変化への期待が政治的言語にならず、それどころか顕在化すらしていないのが日本社会の一般的な光景ではないでしょうか。

排外主義に接続されるにせよ、別の概念とつなぐにしろ、政治行為の動機としてムフが注目する情動の中心は「怒り」です。例えばムフは、情動に突き動かされた抵抗が民主主義概念に接合され、対抗ヘゲモニーを構築した好例として、「怒れる者たち（インディグナドス）」と呼ばれたスペインの若者による反緊縮運動を挙げます。[14] ただし、すべての情動がこのような明確な敵対性・政治性を持つわけではありません。

また、明確な敵を自己の外に見出すような「怒り」は、前章の日本の若者の苦闘にはほとんど見られません。そこにあるのは、諦め、自責、不満ともいえない違和感、あるいは感情の麻痺です。政治主体の創出を考えるには、それを生み出す政治要求の創出を考えねばなりません。ムフが思い描く政治要求が敵対性をもった情動（怒り）に依拠する一方、私たちが普段抱く情動は、もっと両義的で捉えどころなく、一貫性もありません。

ムフの主張へのもう一つの疑問は、ヘゲモニー論そのものに関するものです。ムフは既存の政治理論が前提にしてきた本質主義的要素を切り崩します。ムフの構想の中で、既存の支配に対して立ち上がる「人民」（私たち）は、既存のナショナリティや階層に基づくことなく、実践の中で事後的に構成されてゆくものとして描かれます。普遍的価値に合意することも目指さないし、政治のアクターが合理的だともみなしません。しかし、国家という領域でのヘゲモニー闘争こそが政治であると考えるその企図は、やはり統治としての政治を前提としています。

ヘゲモニーは他の可能性を除外することでしか存在できません。このヘゲモニーの硬質で排他的な性質を考えれば、複数のヘゲモニーが対等に闘技を行うことで健全な政治を生み出すよりもずっと高い確率で、それは権威主義と結びついて、私たちの曖昧で両義的な情動を駆逐しかねません。その意味で、より反本質主義的なアナキストであるソウル・ニューマンは、ヘゲモニーを多元化するというムフの闘技民主主義に異議を唱えます。「なぜこれが、よりましな事態を生むというのか理解できない。抑圧や支配の拠点が一つではなく、複数あるということが」[15]

「統治」としての政治を考えるとき、その正当性を支える概念は常に適用範囲外を生んでしまいます。人権から動植物は除外され、たとえすべての生命体を含む概念をつくっても、いまだ存在しない未来世代は除外されます。これらすべてを包括する概念を考えようとすると、今度は個々人が実生活で直面する問題からかけ離れた抽象的なものとなります。「平和」という概念が、ワーキングプアとしての赤木の苦痛からかけ離れたものであったように。こうした抽象的概念は、その概念が適用されているとされる内部で、そこに希望を見出せない多くの人々を孤立させるのです。

ムフのように意思決定の手続きそのものを普遍的概念とする場合、こうした問題は避けられますが、根源的な問題からは逃れられません。つまり、多くの人々はそもそも政治に関わりたいと思っていないということです。とりわけ、現状に変化をもたらすための政治行為には。人々は自分たちに政治を通じて社会を変える力があると思っていません。自分たちの語りに誰かが耳を傾け、連帯してくれると思っていません。

正当な原理や手順さえ特定すれば、人々がそれにのっとって行動するという期待を抱くことはできません。現代社会における、不確かで脆弱で疲れきった存在が、それでもなお政治に関わり、社会を変えてゆく動機を考えなくてはなりません。

脆弱性とケアの倫理

「脆弱な個体」を政治倫理の中心に添え、普遍主義的リベラリズムを批判的に論じる思想の一つに「ケアの倫理」があります。ケアの倫理が異を唱えるのは、リベラル思想が前提としてきた、自立的・自律的主体の概念です。この概念が想定する個人は、確固としたアイデンティティを持ち、そこに派生する要求に基づき、主体的に行動する存在です。あるいは自ら受け入れた普遍的原理に基づいて行動する存在です。政治的リベラリズムは、こうした個人の平等を説きます。

これに対してケアの倫理は、個人のアイデンティティも倫理も、他者との関係性の中から派生するものと考えます。ケア倫理学者のエヴァ・フェダー・キテイいわく、私たちはみな「依存している」存在です。[16] 特に生の始まりと終わりは、完全に他人に依存せざるを得ません。私たちの生は脆く傷つきやすいものであるという自覚から、倫理が生まれるとキテイはいいます。脆弱性の自覚が、他者に依存する権利を要求し、そうした要求に応答して他者をケアする責任を要求するのです。

ではなぜ人々は、他者をケアする責任を受け入れて行動を起こすのでしょうか。私たちが、人生のある時期に必ず他者に依存しなければならないという事実が、ケアの倫理に正当性を与えるとキテイはいいます。ケアする人は、自分がケアしている相手から見返りを受けることはできませんが、代わりに将来、誰か別の人にケアされることを期待できます。こうしたつながりに基づく平等性が、自律的な個体の互酬関係に置き換えられます。

弱者をケアする責任は、具体的に誰が負うのでしょうか。キテイは二通りの責任の方向を考えているように見えます。まずケアの責任を負うのは、傷つきやすい人のそばにいる具体的な人間です。しかしこれは、ケア提供者に大きな負担となります。例えばキテイは、ケア提供者には「自己を他者の欲求に順応させること」、つまり「他者のニーズを満たすために自分自身のニーズを後回しにするか括弧に入れるような自己が求められる」[17]といいます。

このように他者との境界が曖昧になった自己のイメージは、ケアの倫理に特徴的なものでしょう。別のケア倫理学者マイケル・スロートいわく、ケア提供者は「他者が世界を構成するやり方や、かれらと世界との関係に注意を払い、その中に没入」します。ケア提供者が他者のために行動を取るとき、そこにあるのは理性ではなく共感――「他者の痛みを感じること」[18]なのです。

他者とのつながりをアイデンティティの基本に考えるケアの倫理学が、自他の絡まり合った個を語るのは不思議ではありません。しかし自己犠牲的に他者に没入することを、道徳的義務として個々人に負わせるなら、それはケアの倫理の根幹である、「私たちはみな弱い存在だ」という主張に矛盾します。脆弱で傷つきやすい私たちの身体は、この負担の大きな義務を本当に受け入れられるでしょうか。

キテイの想定はこうです。私たちはみな人生のある時期において脆弱でケアを必要とするから、そうでない時期は脆弱な人をケアする義務がある。しかし現代社会の脆弱さとは、そのような性質のものではありません。私たちの多くは常に脆弱なのであって、いま安定を手にしていたとしても、それをいつ失うか分からない不安に駆られています。この不安こそが、私たちを倫理的行為から遠ざけているのです。自分よりもっと弱い立場の人がいると私たちは知っています。けれども彼らをケアするより、私たちは自分の脆弱な生を守ることを優先するのです。なぜなら私たちが弱い立場に追い込まれたとき、助けてくれる誰かがいると信じられないから――つまり不安だからです。

道徳義務と政治

誰が弱者をケアするのかという問いには、別の答えもあり得ます。キテイはケアの倫理が要求する道徳的義務は、ケア提供者以外に、「依存関係の外側にある人々」も担うと述べます。[19] これが別の具体的個人を意味するのであれば、やはり私たちの根源的脆弱性の問題にぶつかりますが、一般的な社会と読むこともできます。つまりケア関係をサポートする社会システムを構築すべき、という政治的要求として読むのです。

このとき、ケアの倫理はリベラル政治思想のオルタナティブを提示します。キテイはロールズを批判しますが、それは自由と平等の権利を主張する自立的で自律的な主体という前提が、実体にそぐわないからです。ロールズのリベラリズムは、自立／自律的主体の権利を保障することを正義と捉えますが、ケアの倫理はまず、自立／自律的主体を「脆弱で依存した存在」に置き換えます。彼らはニーズを持っていますが、そのニーズを自分で充たす能力、あるいは要求する能力を欠いており、自分のニーズを充たしてくれる他者を必要とします。こうした個人像をもとにするなら、他者に依存する権利の保障こそが「正義」となります。ケアの倫理はここで、正義にかなった統治を要求する政治理論に接続されます。

しかし、ケアの倫理を「正義にかなった統治」という政治と接続する意義はどれほどあるでしょうか。ケアの倫理は、脆弱な個の倫理的可能性を示しましたが、この個体に政治的な力はありません。ケアの倫理の考える脆弱な個は、主体ではなく客体、保護される対象です。それは統治という政治概念に結びつけた瞬間、自分を保護してくれる権威に依存する存在となります。ここで私は、依存と服従の間に大きな違いを見ることはできません。依存者が適切に配慮されるか、あるいは支配され利用されるかは、ケアする側の一存にかかっています。[20]

不安の時代の政治思想を統治形態から考えるとき、それは、より正当な権威のあり方を探る試みと重なります。このアプローチの欠点は、不安の時代に生きる個々人の政治的な力にほとんど期待しないことです。ロールズは、複雑な社会を生きる私たちの身体から理性だけを切り離し、頭の中の実験室に避難させてしまいました。一方ケアの倫理は脆く傷つきやすい身体に政治的な意味を与えたかもしれませんが、それは権力者たちへの道徳的圧力になるという程度の意味であり、彼ら自身に社会を変える政治的な力があることを指しません。傷つきやすい個を「依存」した個と定義することで、行為能力を剥ぎ取ってしまうのです。

彼らの行為能力を信じないなら、一体誰が、ロールズの正義原理を満たす公正な権力や、ケアの倫理の要求する慈悲深い権威を社会に実現させるのでしょうか。皮肉なのは、正義論にしろ、ケアの倫理にしろ、その理論が示すような正しい統治を実現するためには、そもそもその理論が無力化した、複雑な社会を生きる個人の力が必要だということです。

こうした道徳理論に比べれば、ハーバーマスやムフは人々の政治的な力にはるかに信頼を置いていています。彼らの手続き的アプローチ――討議倫理と闘技民主主義――は人々が従う原理より、人々が意思決定するダイナミズムを重視します。

しかし、意思決定プロセスには正当なルールがあり、その意味で彼らは、統治としての政治から抜け出していません。彼らは不安の時代を生きる人々の政治的な力を信じますが、彼らの考えでは、その力が政治的になるのは、それが正しいやり方で制御されたときのみです。そして制御の過程で、私たちの生のいくつかの要素が除外されます。討議倫理からは情動全般が。そしてヘゲモニー論からは敵対性を持たない情動が。そして私たちに最もなじみ深い絶望が。

現在、民主主義の危機に対する政治学の応答のほとんどは、統治のあり方に関するものです。もちろん統治のための公正なシステムや正当な原理を考えることは重要ですが、その正しさを示したとしても、不安の中にある人々が自主的にそれに則って行動したり、面倒な意思決定プロセスに参加したり、見知らぬ他者への責任を引き受けたりする動機にはなりません。

何が私たちを抑圧しているのか

不安にさらされる個人は安定を求め、それを保証する権威を求めます。同時に、その権威が虚飾にまみれていようが抑圧的なものであろうが、それを拒絶することは簡単ではありません。ジル・ドゥルーズとフェリックス・ガタリはこう問います。「何ゆえに人間は隷属するために戦うのか。まるでそれが救いであるかのように」[21]

何が私たちの生を抑圧しているのか。かつては明確な答えがありました。抑圧的な権力は民衆の外側に国家や支配者という形で存在し、人々の生の可能性を狭め、彼らの持つ力を奪い取る存在でした。あるいは権力は、労働時間における生産力の収奪という形で行使され、私たちの生において商品化を強いられたのは労働力でした。抵抗は反権力の闘争であり、そこには抑圧的な権力者からの解放という明確な物語がありました。

ところが、ポスト・フォーディズムの時代、権力の行使は生の細部にまで浸透してゆきます。労働は分散化し、柔軟性を要求され、雇用が不安定化したことによって、生そのものが権力の論理に呑み込まれて脆弱化しています。いまや私たちの生存を可能にする環境や、私たちの生に宿るあらゆる力――私たちの望みや快楽、生体情報や行動記録までも――が商品化され、市場メカニズムの中で価値を測られるようになりました。

ミシェル・フーコーは、資本主義の発展に寄与した近代以降の権力の性質について、それは私たちにある行動を強制したり禁止したりするというより、「生命に対して積極的に働きかける権力、生命を経営・管理し、増大させ、増殖させ、生命に対して厳密な管理統制と全体的な調整とを及ぼそうと企てる」[22]ものだと述べます。彼が「生権力」と呼ぶこの権力は、一つの権力機関から一方的に私たちに行使されるというより、私たちが内在化するものです。そして現代社会の中では、毛細血管のように私たちの日常生活の関係性のすみずみにゆきわたって、私たちの生を意味づけ、価値づけます。こうした生権力によって無力化された私たちは、より明示的な権力の行使にも抗えなくなっているのです。

私たちは消費社会の中で「自由」を感じるかもしれません。しかし実際には、それは市場で価値を認められたものを欲し、そこから選ぶ自由にすぎません。資本主義は伝統的な権威を覆し、人々の欲望を解放しましたが、この解放された欲望が多様な価値観を生むことにはつながっていません。資本主義システムが欲望の流れを制御し、システムの維持と拡大に資する方向へ流し込むためです。

何かが私たちを押さえつけ、閉じ込めているのなら、私たちはそうした力からの解放を望むでしょう。しかし現代社会の権力は、外側から鋳型のように私たちの行動を規定するのではありません。私たちの内部で、私たちが何を望むかという願望の方向を調整するのです。私たちが市場で評価されるものを所有したいと思うとき、市場で評価されるものを生産し、市場で評価される人間になりたいと思うとき、果たして私たちはそれを望んでいるのでしょうか、望まされているのでしょうか。

誰が抵抗のアクターなのか

私たちの生に備わる創造力や可能性が市場原理にからめとられ、私たちの思考もその価値観にどっぷりと浸っているとき、それとは別の関係性や価値観を想像することは困難です。私たちの欲望を一定方向に規定することで私たちの生の可能性を狭める、このような権力には、一体どのように抵抗すればよいのでしょうか。

前章で見た六〇年代後半の日本の学生運動は、自己否定の概念を用いて、こうした権力への抵抗を試みました。この時代、こうした新しい権力に対する若者たちの抵抗が、世界的に展開しました。それは特にアナキズムの系譜で、創造的な思想を生み出しました。

例えば一九五〇年代から六〇年代にかけて、フランスを中心としたヨーロッパで、シチュアシオニスト・インターナショナルと呼ばれる集団が、日常的な政治実践と芸術の前衛的実践を融合した抵抗運動を展開しました。彼らが抵抗した権力こそ、私たちが何を買い、どこへ行き、余暇をどのように過ごすかという欲望の流れを方向付ける権力です。シチュアシオニストたちは、自分たちが所与のものとして受け入れている日常に亀裂を入れ、そこから新しい状況をつくり出すことを目指しました。

彼らの実践の一つ、「転用（détournement）」と呼ばれる実践は、定型化された言説の中で使われる言葉の意味を転倒させる試みです。また、「漂流（dérive）」とは、都市を無計画に歩くことで日常の関係性から逃れ、偶然の出会いへと自らを開く試みです。彼らは、このような即興的な実践によって、順応した環境や固定化された表現の外側に自らを置き、新しい生の様式を生み出すことを志向したのです。[23]

シチュアシオニストの主張はこうです。現代社会では、人々は生産物から疎外されているだけでなく、自分たちの経験や願望からも疎外されている。消費資本主義は私たちの生のあらゆる側面を商品化の対象にしてしまう。そうした社会とは「スペクタクル社会」であって、私たちの社会生活はすべて広告やメディアの提供するイメージによって媒介され、私たちの生の実感もこうしたイメージにからめとられてしまっている。[24]

こうした消費社会における人々は、受動的な観客になります。そこで許される自由とは、市場に並ぶ商品や広告を通じた意味の中から選択する自由、そしてそれらを生産するために用意された役割の中から選択する自由です。そうして私たちは自分の願望から疎外され、自分の生の価値を自分で決めることができなくなり、自分の価値を高めるために社会が要求する役割を完璧に演じるようになり、結果的に支配的な価値観を裏書きしてしまう——こうした社会で、シチュアシオニストが掲げた抵抗とは、自分自身の欲望と創造性に従うことでした。祝祭的な空気の中に制御しきれない情動を解放し、変革のエネルギーを生み出そうとしたのです。

私たちひとりひとりによる、空疎な日常を拒否する試みの集積が革命になると、シチュアシオニストは考えました。こうした理念は、のちのアナキストにも受け継がれます。有名なのは、あちこちに一時的な解放空間をつくっては、権力に捕獲される前に霧散するというハキム・ベイの「TAZ＝Temporary Autonomous Zone（一時的自律ゾーン）」の思想でしょう。[25] こうした抵抗の基盤に本質的なものは何も想定されておらず、ヘゲモニー論のように、形のない情動を、既存の政治用語や制度にはめ込む試みもありません。

こうしたアナキズムの戦術には批判や疑問も向けられています。最もシンプルな問いは、一体誰がこうした実践に携わることができるのか、というものです。都市をあてもなく放浪できるのは、経済的に余裕がある個人に限られるでしょう。また、シチュアシオニストやハキム・ベイのようなアナキストが、資本主義的権力への抵抗の原動力とみなす「純粋な欲望の解放」は、そもそも資本主義に魅せられた人々の主張と同じです。[26]

さらにシチュアシオニストの構想には、より哲学的な問題があります。彼らの考えでは、革命の原動力は個人に内在しています。個人には、自由意志や本当の生を求める衝動がもともと備わっていると考えるのです。シチュアシオニストが影響を与えたとされる一九六八年のパリ五月革命で若者たちが発したスローガンの中に、「石畳の下は砂浜だ（Sous les pavés, la plage）」というものがあります。私たちの原初的な欲望は、支配的な権力によって覆い隠されているので、それを解放しようというものです。

もし権力が私たちの欲望を変質させて消費行為に流し込んでいるのであれば、シチュアシオニストの戦術は有効です。ですが、消費社会を生きる個々人は、商品化された関係の背後（石畳の下）に、果たして本当に「真の」欲望を持っているのでしょうか。

私たちが始めから、権力によって意味づけられた商品やアイデンティティを欲しているとは考えられないでしょうか。むしろ現状のシステムによる評価の「外」にある得体の知れない何かなど、多くの人は欲していないのではないでしょうか。

何が解放されるのか

シチュアシオニストが前提にするような、資本主義に歪められる前の原初的欲望という想定には、いわゆる「ポストモダン」思想家が疑いを挟んでいます。ジャン・ボードリヤールにとって、シチュアシオニストの主張は意味をなしません。なぜなら彼によれば、現代社会には、もはやオリジナルとその再現物の区別がないからです。

ボードリヤールいわく、私たちはいま、現実世界に根拠を持たないシミュラークル（摸像、オリジナルのないまま反復されるコピー）に囲まれて暮らしています。私たちの前に表現されたものの裏側に、なんら本質的なものは存在しません。私たちの真の願望が歪められて商品として表現されているのではなく、そもそも私たちの現実は、真の起源をもたない記号や商品、イメージによって構成されているというのです。

ボードリヤールは、イメージが辿る段階を次のように表現します。最初は、イメージは深淵な現実を反映して表象します。しかし次の段階で、イメージは現実を隠して変質させます。三番目の段階で、イメージは深淵な現実が存在しないという事実を隠すものとして機能します。

そして最終段階で、イメージはもはや現実とは何ら関係ないものとなるのです。[27]

前章との関係でいえば、第二のフェーズは田中康夫の小説に出てきた「クリスタルな世代」の実感に近いと思われます。商品は、彼らの「気分」にそれなりに対応していると考えられたのです。しかし八〇年代初頭に発表された田中の小説とは極めて対照的に、消費社会の若者の気分と商品の関係を描くのが、九〇年代に人気を誇った漫画家・岡崎京子です。若者たちの鬱屈とした日常が描かれる彼女の漫画にはブランド品が何度も登場しますが、それは若者の気分を反映していません。商品名は、ただ空虚に彼らの上を通過してゆくだけです。代表作『リバーズ・エッジ』の主人公ハルナは、周囲のいじめにも暴力にも実感が持てないまま、高校生活をやり過ごしますが、友人たちはやがて、鬱積が臨界に達して壊れていきます。それを目の当たりにした直後のハルナの独白は印象的です。「あたし達は／何かをかくすために／お喋りをしてた／ずっと／何かを言わないで／すますために／えんえんと放課後／お喋りをしていたのだ」。[28]語ることのできない何か、その空白を埋め合わせるために空疎なゴシップや商品の記号があったのです。

ここでボードリヤールは「リアルの死」を宣言します。私たちはもはや真の欲求が何か分かりません。私たちの願望は商品を通じてのみ名指しが可能になり、そこに充足を感じられなくても、もはやその外部――それ以外の可能性――を想像することができないのです。

この「リアルの死」には、反動の芽が隠されてはいます。真正な意味を殺して、誰もその真偽を問えない状態になってしまえば、私たちは自由に創造を行えるからです。それは固定化された意味を転倒したり、そこから逃避したりするよりずっとラディカルな試みです。[29] ですが、私たちは、果たしてそれを望むでしょうか。その行為にどれほどの意味があるのか知らないのに？

シチュアシオニストは、商品化された関係から解放された真の欲求が、新たな価値を生み出すと信じました。しかしボードリヤールに言わせれば、私たちはすでに解放されています。私たちを閉じ込めていると思われた意味には、実際には何の根拠もなく、檻の扉は初めから開かれていたのですが、しかしそこから出た先に待つのは意味の空白であり、そこでは自分が何を望んでいるか分からないのです。

もし外部がただの無ならば、人々はその廃れた意味の内部に残ろうとするでしょう。そして意味の死に瀕して、ますます自分の生を意味づけてくれる権威を求め、それが虚構だと知っていても信じたふりをするでしょう。このとき、意味の死は新たな創造より、意味の屍の中に慰めを得る退廃を招くことになります。

マルチチュードの政治

さて、ここにきて抵抗の思想は行き詰まってしまったのでしょうか。解放されるべき真の願望がないのなら、もう人々を抵抗へと向ける動機は存在しないのでしょうか。

現代における抵抗のアクターとしては、他に、アントニオ・ネグリとマイケル・ハートによって有名になった「マルチチュード」の概念があります。マルチチュードは、彼らが〈帝国〉と呼ぶ新自由主義的権力に抵抗する存在として描かれ、古典的な労働者階級に代わる、フレキシブルな集合体としてのアイデンティティを持っています。

マルチチュードは、一つのヘゲモニーのもとに統一された同一的な「人民（people）」とは異なります。それは「あくまで複数の多様な存在であり続ける」存在です。一方でそれは断片化され、好き勝手にふるまう「群衆（crowd）」、「大衆（mass）」、「乱衆（mob）」とも異なります。構成するアクターたちの差異を保ったまま、連帯して行動する抵抗主体なのです。[30]

マルチチュードはどのように生まれるのでしょうか。ネグリとハートによれば、〈帝国〉という中心を持たない権力が世界中に張り巡らせたネットワークによって、いまや私たちの生に関わるあらゆるもの、空気や水や情報や知識までもその支配下に置かれようとしています。マルチチュードは、こうした〈帝国〉の支配に対して、世界各地で〈帝国〉のネットワークを通じて抵抗を繰り広げる主体とされます。「〈帝国〉の内部で、〈帝国〉に抗する」[31]のです。

統一的でも断片的でもない政治アクター「マルチチュード」は魅力的な概念です。しかしネグリとハートの議論には本質主義な響きもあります。第一に、主体の形成という政治実践の出発点に関しての本質主義です。彼らは〈帝国〉の支配下でネットワーク化された社会が、自ずと人々に抵抗の動機を与え、そこからマルチチュードという抵抗主体が立ち現れてくると考えているように思われます。しかし〈帝国〉のネットワークの中にいるという事実は、マルチチュードが連帯して反乱を起こす説明になりません。〈帝国〉はその領域内に連帯のきっかけを生むより、新たな分断を生むことのほうが多いと、ソウル・ニューマンは反本質主義的アナキズムの立場から指摘します。[32]

第二に、彼らが描く政治実践の目的・到達点についての本質主義です。ネグリとハートはマルチチュードを、反〈帝国〉という固い意志を持った抵抗主体として描きます。しかし現代社会の、中心のないネットワーク的権力の性質を考えると、抵抗はそれぞれの場所で、個別の動機によって始められるほかありません。人々が反〈帝国〉という明確な一つの目的を持つことは難しいでしょう。

このようにネグリとハートの「マルチチュード」は、自発的に形成され展開する政治的主体を称賛しているように見えて、その動機にも方向性にもある種の前提があります。また、〈帝国〉のネットワークにいること自体が、なぜマルチチュードが連帯して抵抗することにつながるのか説明されていません。彼らは抵抗主体がどのように形成されるかについて語っておらず、その点で政治性が欠けているとニューマンは批判しています。[33]

ネグリとハートには、一つの権力を別の権力で置き換えるヘゲモニー思考がある、と指摘するのは、アナキズムの研究者リチャード・デイです。デイがヘゲモニーの論理に対置させるのが「アフィニティ（親和性）に基づく」政治です。[34] マルチチュードをヘゲモニー論ではなくアフィニティ論で語る思想家として、デイはネグリと同じオートノミスト・マルクス主義の系譜にいるパオロ・ヴィルノを挙げています。

ヴィルノいわく、マルチチュードは一つの政治的意思を持つわけではありませんが、一つの「楽譜」のようなものがあります。ひとりひとりがそれに合わせて演奏し、その行動はアンサンブルのように表現されるのです。[35] マルチチュードの政治は、権力に直接的に対抗するというより、そこからの「エクソダス（脱出）」として描かれます。ヴィルノはマルチチュードを、市場資本主義的な関係性や、それが自分に与える役割、働き方、生き方などから逃避する存在として解釈します。[36] エクソダスとは別の関係性や生き方を創造することでもあり、この意味でヴィルノはそれを「関与的な離脱（engaged withdrawal）」とも述べています。

同じくオートノミストの系譜であるジョン・ホロウェイも、抵抗主体が現状から自動的に生まれるかのようなネグリとハートの目算には疑いを挟みます。〈帝国〉のシステムへの抵抗は、実際には難しいことだとホロウェイは述べます。私たちはすでにその価値観を内在化した「自己分裂し、自己疎外され、分裂症的」な存在だからです。「革命というものは私たちを引き裂いている混乱と矛盾から出発する」というのが、ホロウェイの主張です。[37]

こうしたラディカルな政治アクターの形成に、ホロウェイは情動や願望の果たす役割を重視します。ただしそれはシチュアシオニストが想定したような、生得的で本質的な欲求ではありません。ホロウェイが革命の契機を見出すのは、もっと反射的なもの、受動的な環境から反動のように生まれてくる「もうたくさんだ」という思いです。

ホロウェイが見ているのは、脆くて不確かな、現代社会の個人です。私たちは、自分の情動も欲求も不明確で、政治的要求を組み上げる能力はありません。しかし、それぞれの個性・傾向・可能性があり、それが制限される環境の中で痛みを感じています。その表現が拒絶の「ノー」、「もうたくさんだ」という叫びであり、ホロウェイはこの「叫び」から抵抗が始まるといいます。私たちは、絶望の中から、それに抗いながら、自らを抵抗の主体としてつくり出すほかないということです。

ホロウェイはそれを「アイデンティティ化に対する闘い」と考えます。[38] 私たちが何者かが特定され、私たちがそれを受け入れることで、私たちが何を望むか決まってしまい、私たちは別の可能性を考えることができなくなります。だからこそ固定的なアイデンティティから逃れることが抵抗をなすというのです。

抵抗と「叫び」の政治

私にとって、ホロウェイが抵抗の原点として語る「叫び」は、これまで自分に示された数々の概念とは違うものに感じられました。それは唯一、自分の手に届きそうでした。他のあらゆる政治的概念――正義や平等や自由といった価値、討議や闘技といった民主主義のプロセス、脆弱な個人をケアしてくれる慈悲深い権威――は、それがどれほど正しいものに見えても、私からは遠いものでした。それらは、はるか遠くに輝く星のようなもので、それを目指して歩く力は、くたびれた身体に残っていないのです。しかし「叫び」くらいならば、この身体からでも絞り出せます。

前章で見てきたのも、こうした「叫び」でした。自己や他者に向けられた暴力の数々も、「もうたくさんだ」という叫びを身体で表現したものでした。孤立した私たちに唯一可能なのは、その「叫び」から始めることだとホロウェイはいいます。

彼の思想の根底にあるのはメキシコのサパティスタ運動です。もともと先住民の抵抗運動でしたが、世界各地でたくさんの人々が、彼らの闘いは「私たち」の闘いであると受け取りました。ＬＧＢＴの人たち、若者、移民や労働者たちが、「もうたくさんだ」と叫んで立ち上がる勇気をサパティスタから受け継ぎ、自分たちの場所で抵抗を始めました。こうして一つの地域で生まれた抵抗の渦が、他の場所へと波及し、緩やかな「私たち」というアイデンティティが形成されていったのです。

ホロウェイは、こうして生まれた「私たち」に、統一的な政治プロジェクトを課したりはしません。「私たち」は前もって決めたゴールに向かって歩くのではありません。「道をたずねながら、われわれは歩く」のだと、サパティスタの言葉を引きながらホロウェイは語ります。[39]抵抗は、自らの矛盾を乗り越えようとすること、そして「われわれみずからの共犯関係に反逆」しようと、「何百万もの実験」を繰り返すこととして描かれます。[40]

彼はこうした様々な抵抗の実験を、ありふれた人々の物語として著書で紹介しています。それは以下のように始まり、ページをあふれて続きます。

これは、みずからの怒りとよりよい社会への夢を、自作をつうじて表現しているロンドンの作曲家の物語である。これは、自然破壊に対して戦うために庭をつくっているチョルーラの庭師の物語である。夕方に自分の分有菜園に赴き、自分にとって有意義で愉快な活動に精を出すバーミンガムの自動車工。自治のための自律空間を創出し、攻撃を仕掛けてくる準軍事組織を相手にそれを日々防衛しているチアパスのオヴェンティックの先住民農民たち〔……〕。[41]

これらの「ありふれた人々」には彼の知人も、想像上の人もいます。そこには「今日は仕事を休み、あれやこれや読みたい本をもって、公園へ行くことにした東京の女の子」という記述もあります。

労働の拒否はラディカルな逃走であると同時に、日本では極めて難しい抵抗でしょう。前章で登場した赤木智弘も述べるように、日本ではまっとうな職に就くことで初めて社会に存在が認められるような風潮があります。一歩の踏み外しで底辺まで滑り落ちかねない社会では、人々は標準とされる状態に必死に適応し、踏み止まろうとします。二〇一〇年に原著を出版したホロウェイが、二〇一五年のクリスマスに命を絶った「東京の女の子」、高橋まつりさんを念頭に置いたはずはありません。しかし仕事をさぼるどころか、少なくない人々が心身の限界まで働くことを余儀なくされる日本の現状を知った上で、この東京での抵抗を描いたと思います。

彼の本のこのくだりを初めて読んだとき、私は五年間の会社勤めの後、退職してイギリスの大学院に留学していました。そして自分の過去を思い返しました。私の職場は彼女ほど過酷な職場ではありませんでしたが、部署によっては長時間労働が常態化し、平日にすべき仕事をこなせるよう休日も家で準備する日々が続いていました。当時、いつも何かに追われて心が休まらず、そのうち自分が好きだったものへの情熱も流れ落ち、自分の人生が完全に空っぽで、無意味なものになったように感じていました。

ある晴れた休日、今日は仕事のことは一切考えないと決め、くたびれた身体を河原に運んで好きな本を読んだことがありました。私は東京に住んでいたわけでも、仕事をさぼったわけでもなかったですが——それでもあのとき感じた途方もない解放感が、ホロウェイのこの「東京の女の子」のくだりを読んで蘇りました。そして「公園で本を読む東京の女の子」は、私にとって抵抗のシンボルとなりました。

この困難な抵抗はどうしたら可能になるのでしょうか。私は当時の自分にこの抵抗としての「逃走」が可能だったとは思えません。同様に、きっとたくさんの人が、かろうじてつくった亀裂から息継ぎをして生き延びるのに必死で、その外部を想像できないでいるのでしょう。

逃走はラディカルな抵抗かもしれませんが、その先に何が待っているか分かりません。私たちそれぞれが、権力の望む役割やアイデンティティから逃走したとして、どのように連帯して抵抗するのでしょうか。勇気を振り絞った「叫び」が冷笑されたり、放置されたりするかもしれません。孤独の中で力尽きないという保証はあるでしょうか。

逃走した後も自分は孤独ではないと確信が持てるまで、「東京の女の子」は抑圧的な権力に服従するでしょう。逃走の先が分からない限り、逃走は希望にならないのです。

亀裂と「外部」——災厄後の政治

現状に変化を生み出す政治の出発点。ホロウェイはそれを亀裂と表現します。不動に見える秩序の内部に生じる亀裂、「もうたくさんだ」という拒絶の叫びが生み出す亀裂です。「拒絶し創造しよう」とホロウェイは呼びかけます。[42] しかし私はホロウェイより疑り深く、もっと絶望しているので、私たちが主体的に亀裂をつくれるとすら信じられません。

ただしそれは、亀裂が決して生まれないということではありません。むしろ亀裂とは、私たちがつくろうとしたり、防ごうとしたりという行為にかかわらず、生まれてしまうものなのではないかと思うのです。

ホロウェイは亀裂を語る中で、災害もまた亀裂の一形態であるとして、レベッカ・ソルニットの以下の言葉を引いています。

災害は日常的な時間を、またそれと共に日常的な役割や運命を中断させる。制限が取り除かれる。筋書きといったものが破綻する。われわれがするだろうこと、われわれが話しかけるだろう人々、われわれの生活が向かうだろう場所、さらにはわれわれがなるだろう者、われわれはそうしたことにかんする他の可能性に目ざめるのだ〔……〕。[43]

既存の秩序の崩壊と別の可能性の開示という、ソルニットの災害の描写は、前章の赤木の戦争のイメージと重なります。赤木は、彼の希望する戦争は災害とも言い換えられると述べています。災害は既存の秩序を壊し、当然のものと思ってきたアイデンティティを覆し、未来の計画や予測を無効にし、その巨大な喪失を叙述する言葉すら失わせる出来事です。そこには脆弱な身体だけが残されます。

災害によって所有していたものが失われ、店舗から商品が消えて現金すら無意味になると、利己主義に代わって思いやりに基づく連帯が姿を現すことがあります。ある日突然災害に巻き込まれた普通の人々が、見知らぬ者同士で助け合い、残されたものを分け合い、一時的に「ユートピア」を築く——そのような数々の実例を描写した上で、ソルニットはこのように主張します。「災害は普段わたしたちを閉じ込めている塀の裂け目のようなもので、そこから洪水のように流れ込んでくるものは、とてつもなく破壊的、もしくは創造的だ」[44]

私はこれに完全に同意するわけではありません。ホロウェイによるソルニットの引用は、「災害の余波は、しばしば希望に充たされている」とまで言い切っています。しかしこの国の被災地を思うとき、そしてレベル7の原発事故を経験した国に住む者として、私はそこまで言うことはできません。その意味でも私はさらに絶望しています。

災害は希望をもたらしません。災害とは所与の意味の破壊であり、無意味な「外部」——想像不能なもの、制御不能なもの、理解不能なもの——の侵入です。その侵入が引き起こしたシステムの再配置が、自分にとってより良いものとなる可能性は低いでしょう。ナオミ・クラインが暴いたように、新自由主義的な権力が、災害という亀裂からも都合よく利益を引き出し、自己の拡張に利用する可能性もあります。[45]

災害は、私たちが決して乗り越えられない生の脆弱さを暴きます。私たちには、自分の都合悪いものを都合よく切り離す力もなければ、自分が望むものとだけ都合よくつながる力もありません。他者＝外部と私たちは、否応なくつながっています。その事実が私たちの無力感の正体であり、だからこそ私たちを異質なものに対して閉じさせ、安定を与えるものに隷従させるのですが、その努力すら無効にすべく災害はやってくるのです。そして人間が構築した意味を容赦なく解体します。

そのとき残骸に少しでもいい意味を生み出すため、希望をつくるために、残された身体はもがきます。

次章以降では、3・11後の路上に現れた、そうした実践を見ていこうと思います。それは、つながってしまっている他者を切り離そうとせず、つながったまま、いまとは異なる配置を探ってゆく試みであり、私はそれこそが絶望から始まる政治だと考えます。


前章とこの章で、私はひたすら絶望の底に向けて下ってきました。私たちは息苦しい「いま」の外側、「ここではないどこか」を求めているのに、それが何か分からないでいます。そこには、希望の顔をした、たくさんの答えが投下されています。失われた物語に代わる新しい物語。説得力を失った原理に代わる新しい原理。原理に代わる新しい民主主義プロセス。主体として行動できない脆弱な存在を保護する（けれども決して支配しない）権威。

しかしそのいずれも希望と呼ぶことを拒絶して、私は歩いてきました。この不安の時代に確かなものを回復しようとするすべての試みを否定してきました。これは、やりすぎでしょうか。

私の態度をポストモダン的なニヒリズムだと誤解する人がいるかもしれません。ですが、私がすべてを解体したのは、私たちの無力さを暴いて、現状を受け入れるより他に道がないことを示すためではありません。希望と呼ばれるものをすべて解体しても残る身体と、そこに宿る衝動があり、そこに政治的な力があるということを証明するためです。私たちは、絶望した自分自身の身体から始めるしかありません。そこにあるものを使って、まずは自分が動き始めるエネルギーをつくり出さねばならないのです。
この絶望の底から希望の探究を始めたいと思います。

注

1 山本義隆『私の１９６０年代』、金曜日、二〇一五年。

2 Gerry Stoker, *Why politics matters: Making democracy work*. Palgrave Macmillan, 2006, pp.2-4.

3 John Rawls, *A theory of justice*. Revised edition. Oxford University Press, 1999, p.11. ［ジョン・ロールズ『正義論（改訂版）』、川本隆史・福間聡・神島裕子訳、紀伊國屋書店、二〇一〇年、一八頁］。この状況は、「誰も社会における自分の境遇、階級上の地位や社会的身分について知らないばかりでなく、もって生まれた資産や能力、知性、体力その他の分配・分布においてどれほどの運・不運をこうむっているかについても知っていない」という特徴を持ちます。さらに「契約当事者たちは、各人の善の構想やおのおのに特有の心理的な性向も知らない」という前提も加わるといいます。

4 Ibid. 前掲書。

5 Jürgen Habermas, *The inclusion of the other: Studies in political theory*. MIT Press, 1998, p.61. ［ユルゲン・ハーバーマス『他者の受容――多文化社会の政治理論に関する研究』、高野昌行訳、法政大学出版局、二〇〇四年、七七頁］

6 Ibid., p.58. ［前掲書、七三頁］

7 Jürgen Habermas, *Between facts and norms: Contributions to a discourse theory of law and democracy*. MIT Press, 1996, p.360. ［ユルゲン・ハーバーマス『事実性と妥当性――法と民主的法治国家の討議理論にかんす

る研究』、河上倫逸、耳野健二訳、未来社、二〇〇三年、下巻九〇頁〕

8 ハーバーマスは公共圏を「社会秩序に関連する通常の概念ではない」として、制度化や構成員の制限に否定的です。しかし一方で、公共圏で実現されるコミュニケーションの流れが「ある特定の主題のために集約された公共的意見としてまとめあげられるよう、十分に選別され、整えられねばならない」と述べるなど、ある種の制約は念頭に置いています(Habermas, 1996, p.360.〔ハーバーマス、二〇〇三年、下巻九〇頁〕)。

9 Richard Rorty, *Contingency, irony, and solidarity*. Cambridge University Press, 1989, p.xvi.〔リチャード・ローティ『偶然性・アイロニー・連帯――リベラル・ユートピアの可能性』、齋藤純一・山岡龍一・大川正彦訳、岩波書店、二〇〇〇年、七頁〕

10 Chantal Mouffe, "Deconstruction, pragmatism and the politics of democracy". In: S. Critchley, J. Derrida, E. Laclau, R. Rorty and edited by C. Mouffe, *Deconstruction and pragmatism*. Routledge, 1996.〔シャンタル・ムフ「脱構築およびプラグマティズムと民主政治」、シャンタル・ムフ、ジャック・デリダほか『脱構築とプラグマティズム――来たるべき民主主義』青木隆嘉訳、法政大学出版局、二〇〇二年〕

11 Chantal Mouffe, *On the political*. Routledge, 2005, p.118.〔シャンタル・ムフ『政治的なものについて――闘技的民主主義と多元主義的グローバル秩序の構築』、酒井隆史、篠原雅武訳、明石書店、二〇〇八年、一七一―一七二頁〕。「単一の権力に依存する世界を乗り越えるための戦略で可能なのは、ヘゲモニーを『多元化していく』方途をみいだすことだけだ」とムフは述べます。

12 シャンタル・ムフ『左派ポピュリズムのために』、山本圭・塩田潤訳、明石書店、二〇一九年、三三頁。

13 前掲書、六九頁。

14 前掲書、六二頁。インディグナドスは、スペイン政府の大幅な緊縮政策に反対し、広場を占拠した人々のことです。二〇一一年五月一五日に占拠が始まったことにちなんで「15M」運動とも呼ばれ、同年秋に米国で発生したオキュパイ運動に影響を与えたといわれています。

15　Saul Newman, *The politics of postanarchism*. Edinburgh University Press, 2010, p.94.

16　Eva Feder Kittay, *Love's labor: Essays on women, equality and dependency*. Routledge,1999.〔エヴァ・フェダー・キテイ『愛の労働あるいは依存とケアの正義論』、岡野八代、牟田和恵監訳、白澤社、二〇一〇年〕

17　Ibid., p.51.〔前掲書、一二六頁〕

18　Michael Slote, *The ethics of care and empathy*. New York: Routledge. 2007, p. 13.

19　Kittay, p.50.〔キテイ、二〇一〇年、一二四頁〕

20　キテイも「依存関係におけるパターナリズムは、常にリスクであ」ると認めます。しかし彼女はこれについて、ケアの担い手自身が、自分の利益を満たされている状態であれば、保護する相手を支配するのとは別の力の使い道を求めるだろうという憶測を示しています。(Kittay, 1999, p.37.〔キテイ、二〇一〇年、九四頁〕)

21　ジル・ドゥルーズ、フェリックス・ガタリ『アンチ・オイディプス――資本主義と分裂症』、宇野邦一訳、河出書房新社、二〇〇六年、上巻六二頁。

22　ミシェル・フーコー『性の歴史Ｉ　知への意志』、渡辺守章訳、新潮社、一九八六年、一七三頁。

23　シチュアシオニストついての研究は以下を参照。Sadie Plant, *The most radical gesture: the Situationist International in a postmodern age*, Routledge, 1992.

24　Guy Debord, *Society of the spectacle*, Black and Red, 1983〔ギー・ドゥボール『スペクタクルの社会』、木下誠訳、筑摩書房、二〇〇三年〕、Raoul Vaneigem, *The revolution of everyday life*. Translated by D. Nicholson-Smith, Left Bank Books and Rebel Press, 1983.

25　Hakim Bey, *T. A. Z. The Temporary Autonomous Zone, Ontological Anarchy, Poetic Terrorism*, 1991.〔ハキム・ベイ『ＴＡＺ　一時的自律ゾーン』、箕輪裕訳、インパクト出版会、一九九七年、〈http://www.netarts.org/taz_web/〉〕。ベイはＴＡＺについて以下のように述べます。「(国土の、時間の、あるいはイマジネーション

の）ある領域を解放するゲリラ作戦であり、それから、「国家」がそれを押しつぶすことができる〈前に〉、それはどこか他の場所で／他の時に再び立ち現れるため、自ら消滅する」

26 六〇年代の運動で表出された欲望は、その後、資本主義システムに吸収されたとの批判はよく聞かれます。西欧諸国の運動については、若者のカウンターカルチャーが新しい価値を創造し、市場がそれに応答するという相互作用によって、政治的抵抗が文化領域に拡大したとの見方もあります。Julie Stephens, *Anti-disciplinary protest: sixties radicalism and postmodernism*. Cambridge University Press, 1998.

27 ジャン・ボードリヤール『シミュラークルとシミュレーション』、竹原あき子訳、法政大学出版局、一九八四年、八頁。

28 岡崎京子『リバーズ・エッジ』、宝島社、一九九四年、二一九頁。

29 ジャン・ボードリヤール『不可能な交換』、塚原史訳、紀伊國屋書店、二〇〇二年。以下のような記述があります。「世界が意味を持たないと、仮に認めることができるとすれば、われわれは形態や外観や衝動のゲームを、それらの最終的な行く末を気づかわずに、楽しむことができるだろう」（一八二頁）。

30 Michael Hardt, and Antonio Negri. *Multitude: War and democracy in the age of empire*. The Penguin Press, 2004, p.99.［アントニオ・ネグリ、マイケル・ハート『マルチチュード――〈帝国〉時代の戦争と民主主義』、幾島幸子訳、日本放送出版協会、二〇〇五年、上巻一七二頁］

31 Michael Hardt, and Antonio Negri, *Empire*. Harvard University Press, 2000, p.61.［アントニオ・ネグリ、マイケル・ハート『〈帝国〉グローバル化の世界秩序とマルチチュードの可能性』、水嶋一憲ほか訳、以文社、二〇〇三年、八九頁］

32 Saul Newman, "Post-anarchism and radical politics today". In: D. Rousselle and S. Evren (eds.), *Post-anarchism: a reader*. Pluto Press, 2011.

33 Ibid.

34　本質主義的な基礎付けを持たないアナキズムについて、デイは以下の著作で考察をしています。Richard. J. F. Day, *Gramsci is dead: Anarchist currents in the newest social movements*. Pluto Press. 2005, p.165.

35　Paolo Virno, "Virtuosity and revolution: The political theory of exodus". In: P. Virno and M. Hardt, *Radical thought in Italy: A potential politics*, University of Minnesota Press, 1996.

36　Paolo Virno, "The ambivalence of disenchantment". In: P. Virno and M. Hardt , *Radical thought in Italy: A potential politics*. University of Minnesota Press, 1996, p.196.

37　John Holloway, *Change the world without taking power*. 2nd edition. Pluto Press, 2005, p.146. 〔ジョン・ホロウェイ『権力を取らずに世界を変える』、大窪一志、四茂野修訳、同時代社、二〇〇九年、二八九頁〕

38　Ibid., p.100. 〔前掲書、二〇三頁〕

39　Ibid., p.215. 〔前掲書、四一四頁〕

40　John Holloway, *Crack capitalism*, Pluto Press, 2010, pp.256-257. 〔ジョン・ホロウェイ『革命　資本主義に亀裂をいれる』、高祖岩三郎、篠原雅武訳、河出書房新社、二〇一一年、三一六—三一八頁〕

41　Ibid., pp.4-5. 〔前掲書、一七—一九頁〕

42　Ibid., p.261. 〔前掲書、三二四頁〕

43　Ibid., p.32. 〔前掲書、五〇頁〕。引用はRebecca Solnit, "Standing on top of golden hours: Civil society's emergencies and emergences", unpublished ms, 2005. (later version published as "The uses of disaster: Notes on bad weather and good government" in *Harper's Magazine*, 2005)

44　Rebecca Solnit, *A paradise built in hell: the extraordinary communities that arise in disaster*. Penguin Books, 2010, p.305. 〔レベッカ・ソルニット『災害ユートピア——なぜそのとき特別な共同体が立ち上がるのか』、高月園子訳、亜紀書房、二〇一〇年、四二七頁〕

45　Naomi Klein. *The shock doctrine: the rise of disaster capitalism*. Metropolitan Books, 2007. 〔ナオミ・クライン

『ショック・ドクトリン——惨事便乗型資本主義の正体を暴く』、幾島幸子、村上由見子訳、岩波書店、二〇一一年〕

第三章　路上の想像力（1）名前のない個

この章以降では、二〇一一年三月十一日に起きた東日本大震災という「亀裂」について考えたいと思います。特に焦点を当てたいのは、福島第一原発の事故が生み出した亀裂であり、それに対する首都圏の人々の応答としての反原発運動です。

もちろん反原発運動は、被災地の福島や、他の原発立地自治体でも展開しています。しかし前章までで見たように、現代社会の抵抗を考えるとき重要な課題は、追い詰められた人が発する「叫び」を孤立させず、いかにして抵抗のネットワークを形成できるのかということです。「99％」の中でもとりわけ虐げられた人の苦境に対し、それ以外の「99％」の人々が、どうやってそれを「私たちのこと」として連帯し、ともに社会を変えていくアクターとなっていくのか。その意味で、首都圏の人々――これまで原発のリスクとほとんど向き合う必要のなかった人々――が、この運動に加わる意味は大きいのです。彼らは日常に開いた亀裂の向こうに、どのような外部／他者を見つけ、それに対してどのように応答を始めたのでしょうか。

原発事故は、私たちの日常の様々な側面に亀裂を生みました。それまで疑いなく受け入れてきた権威への信頼が揺らぎました。原発は安全だと宣伝してきた政府や科学者への不信が表面化しました。さらには原発建設の背後にあった産業界の利益、時の政権の思惑、科学者のパターナリズム、地方自治体の慣習、そして住民の思いなど、複雑な利害関係も可視化されました。首都圏の多くの人々は、自分が使用していた電力が、遠く離れた福島の原発で発電されてきた事実を初めて知りました。自分の生活が何に依拠していたのか、何につながっていたのか、その複雑で脆い日常の基盤が明白になったのです。人々は、そうした見えないひずみが招いた結果の深刻さに茫然としました。

社会学者のウルリヒ・ベックは、科学技術の発展した現代社会のシステムは、富とともにリスクも生み出していると述べ、そのような社会を「リスク社会」と名付けています。[1] 現代社会のリスクは従来のリスクとは規模が違い、時間的にも空間的にも想像を超える破壊を生み出すといいます。高度な科学的知識に裏打ちされた技術が私たちにもたらす力は絶大ですが、その知をもってしても、その技術がどんな影響を及ぼしうるか正確に予測できません。

複雑化した現代社会で、私たちは自分たちの行動（あるいは非行動）の結果を見通すことができません。この不透明性が、私たちの不安や無力感の根源にあります。しかし、災厄という亀裂を通して露わになった社会のひずみを見つめ、そこに変化をもたらそうと立ち上がった人々がいます。そうした実践の中に、前章までに現れた問い――不安で脆弱な個がどのように立ち上がり連帯してゆくのか、どのように新たな関係性や倫理、価値観をつくり出すことができるか――に対する応答を探ってゆきたいと思います。

3・11と反原発運動の経緯

二〇一一年三月十一日の巨大地震と津波によって冷却装置が機能しなくなった福島第一原発は、立て続けに三基の原子炉がメルトダウンを起こしました。しかし政府や原発を所有する東京電力（東電）からは、メルトダウンの事実も含め、事故の詳細や規模、健康への影響に関する情報はほとんど提供されませんでした。何が起きているのか誰も分からない状況の中、多くの人が不安に駆られ、自分たちの生が軽んじられているという憤りを覚えました。

3・11後の首都圏における反原発運動は、活動家らによって事故後の早い時期に開始されましたが[2]、一般の人々が参加するまでにはやや時間がありました。私がのちに東京のデモ参加者にインタビューをする中で、「それまで政治には関心がなかった」「デモに参加したことはなかった」と語る人々の多くが、最初のきっかけだと振り返ったのが、事故の翌月、二〇一一年四月十日に高円寺で行われた「原発やめろデモ！！！！！」です。主催した「素人の乱」は、高円寺の商店街でリサイクルショップや古着屋、バーなどを経営する、当時三十代の若者たちで、これまでにも地元で祝祭的なデモや路上イベントをやりながら「自由に生きていく」ことを実践してきたアナキスト的な人たちでした[3]。

素人の乱の松本哉によれば、「原発やめろデモ」は十日間で企画され、ツイッターやブログ、チラシなどで拡散されました。参加予測は五百人程度。しかし蓋を開けてみると、一万五千人が集まりました。その中には、プレカリアート運動などに参加してきた前出の雨宮処凛もいます。政治学者の木下ちがやは、参加者が思い思いのスローガンを叫ぶ自由なデモのスタイルが、それまでの街頭デモのイメージを大きく変え、その後の反原発運動の典型の一つをつくったと分析します。[4]

全国の百五十ヶ所近い場所で反原発アクションが展開した二〇一一年六月十一日、素人の乱が新宿で主催したデモには約二万人が詰めかけました。デモ参加者はゴール地点の新宿アルタ前を埋め尽くし、都内の他のデモに参加した人々も合流して、一時的に場を「占拠」。演説や音楽があふれ、お祭りのようだった広場の熱気に触れた政治学者の五野井郁夫は、それがまさに「ＴＡＺ的」な空間（第二章参照）だったと振り返っています。[5] 素人の乱は同年秋に大規模デモの主催を中断したものの、そのころには全国各地で市民がデモを主催し、著名人が呼びかける反原発集会にも数万人規模の人々が参加するようになっていました。また二〇一一年九月には、経済産業省前に活動家たちがテントを張って座り込みを始めるなど、[6] 様々な抵抗が生まれていました。

原発事故後、安全性が確認できない原発の稼働が見送られ、稼働中の原発も定期点検に入ったことから、二〇一二年五月には、五十基以上あった日本の全原発が運転を停止。しかし夏場の需要増を理由に、政府は翌月、福井県の大飯原発の再稼働を決定しました。反原発運動が最大の高揚を見せたのはこの時期です。福島の事故原因も解明されておらず、安全対策も十分でない中での再稼働決定に、人々の怒りが噴出しました。

怒りに駆られた人々が押し寄せたのが、首相官邸前で毎週金曜日に行われている抗議(金曜官邸前抗議)です。この抗議は、首都圏の反原発グループが集まった「首都圏反原発連合(反原連)」[7]によって、二〇一二年三月末に開始されました。参加者は当初、数百人規模だったものの、大飯原発再稼働をめぐって、これまでデモの経験がなかった人々も続々と参加。首相官邸前の狭い歩道に並んでプラカードを掲げ、「原発いらない」「再稼働反対」とコールを続けました。参加者が急増した同年六月ごろから、歩道の人々の列は果てしなく伸びるようになり、六月末には主催者発表で二十万人もの群衆が歩道からあふれて路上を埋め尽くしました。

これを機に反原発運動は一躍メディアの注目を集め、主催者である反原連のメンバーが官邸「内」へ招かれ、当時の野田佳彦首相と面会しました。同年八月には、金曜官邸前抗議には政治家や学者、著名人も次々と姿を見せました。大飯原発の再稼働は止められなかったものの、運動に押されるように、当時の民主党政権は、「二〇三〇年代に原発稼働ゼロ」を目指す方針を表明。市民運動に参加した人たちは、自分がデモを通じて社会に及ぼすことのできる影響を初めて実感しました。

しかし二〇一二年夏に大きく盛り上がった反原発運動は、同年末にターニングポイントを迎えます。十二月の衆議院総選挙で政権与党だった民主党が大敗し、戦後原発政策を推し進めてきた自民党が政権に復帰しました。自民党は以後五回の国政選挙にも勝利し、いまに至ります。安倍政権は原発をベースロード電源と位置付けて再稼働を進め、議会政治の枠組みを通じた脱原発の流れは停滞しました。

一方、市民運動は続いています。金曜官邸前抗議の規模は小さくなったものの、二〇二〇年に入っても継続されています。[8] また、3・11後の反原発運動がつくり出した運動のうねりは、ほかの争点にも波及してゆきました。社会でいま起きている問題に敏感に反応し、声を上げる習慣を身に着けた人々の多くは、その後ヘイトスピーチに対するカウンター行動にも参加しています。また、首相官邸前や国会周辺は人々が集まり声を上げる場として定着しました。安倍政権が集団的自衛権の行使を容認する安全保障関連法案（安保法案）を国会に提出した二〇一五年夏には、ＳＥＡＬＤｓ（自由と民主主義のための学生緊急行動）が呼びかけた抗議に十万人以上が集まり、再び国会周辺の路上を埋め尽くしました。

私の研究者としての立場

この本に記された運動参加者の言葉は、五章のインタビューを除いて、私が博士論文研究として二〇一二年から二〇一五年に実施したフィールド調査に基づいています。[9] 3・11後の反原発運動が高揚した時期、私は海外の大学院で学んでいました。そのため私が実際に日本で運動に参加し、参加者に話を聞いた時期は限られています。

メインとなった調査時期は、(1)二〇一二年三月から五月までの二か月間と(2)二〇一二年十一月から二〇一三年一月までの二か月間です。そして私の一時帰国の時期と重なっていた(3)二〇一四年二月から二〇一五年六月までの間に、過去のインタビュー調査の協力者をもう一度訪ね、運動の高揚期を振り返ってもらったり、活動や心境の変化について尋ねたりしました。この二〇一四年から二〇一五年の調査期には、反原発運動以外にも反レイシズムの活動や、特定秘密保護法、安保法制への反対運動が展開していたため、これらの行動にも足を運び参加者の話を聞くこともありました。本書の執筆にあたっては、博士研究の最後のフィールド調査から時間が経過したために、追跡調査も実施しています(この本の五章後半にあたる部分です)。

実はこれらの調査時期は、3・11後の市民運動の高揚期(最初の反原発運動の波が起きた二〇一一年春から秋、反原発運動がピークを迎えた二〇一二年夏、安保法制反対のデモが高揚した二〇一五年夏)からすべて外れています。それは当時、海外の大学院生だった私の研究日程の制約に起因しますが、調査期間が運動のいわゆる「オフシーズン」に重なったことは、結果的に私の研究目的と合致していたかもしれません。

なぜなら私の研究上の問いは、「3・11後の反原発運動(あるいは市民運動)とはどんなものか」ではなかったからです。私の問いは「現代における抵抗はいかにして可能か」であり、その手掛かりを3・11後の市民運動に探ろうとしていました。運動の一般的傾向を客観的に描写するのではなく、運動の中に抵抗の可能性を見つけたかったのです。運動の参加者が減り、モチベーションを維持しにくい時期にも行動を続ける人々が、迷いや失望をにじませながら発する言葉にこそ、その兆しがあるように感じました。

3・11後の反原発運動の内部では、研究者の立場が厳しく問われました。社会学者が運動の外側に立って運動の一定期間のみを分析し、運動に意味があったかなかったか、社会が変わったか変わらなかったか、一方的に結論を下すことに参加者の多くが失望や苛立ちを表したのです。運動に参加する人々にとってみれば、深刻な原発事故を許してしまった日本社会が変わらなくていいはずはないのだから、目の前にある問いは、社会をどう変えるか、自分がそのためにどう動くかというものでした。研究者もまた、この社会の当事者としての喫緊の問いから免責されることはないと考えたのです。

これまで社会を観察対象として、観察主体である自分から切り離し、客観的に分析を加えてきた社会学者たちは、3・11後の社会でその立場を問われました。自らが研究対象にしている社会の一員として、当事者としての責任を問われたのです。この社会を自分がどうしてゆきたいのか語ることを、運動の参加者たちは研究者にも期待しました。こうした中で私自身が、社会の観察者として現状を記述し分析する知識よりも、社会の構成員として社会の現状を変えるための知識をつくりたいとの思いを強くしました。

当時の私の指導教官だった社会運動研究者のグレアム・チェスターズは、社会運動をめぐって社会学者がつくる知識を、運動「についての」知識と運動「による」知識に区別します。前者の立場では、社会運動は研究者に分析され、解釈され、意味を与えられる客体となります。しかし後者では、社会運動そのものが知識を生み出す主体と考えられます。運動参加者たち自身が、身体実践を通じて新しい意味や価値をつくり出しているのです。ここで社会運動には「いまとは別の政治的想像力を展開する力」があり、運動は「思い描いた可能性を現実にするための知識をつくって」います[10]。

社会運動「について」の知識をつくるとき、知識の生産者である研究者と、その「データ」である運動参加者たちの間には明確な境界があります。これに対して、社会運動そのものを知識形成の場と考えるなら、観察者と観察される人々の間に境界はなく、ともに社会を変えてゆくためのアクターであると同時に知識の生産者になりえます。この本は最終的に、後者の立場を取ります。本書が描くのは、私が３・11後の運動の中で出会った人々と共に考え、紡いできた、抵抗のための知識です。

私が話を聞いた中には、個人で行動するアクティビストや反原発デモの主催者のほか、実際にデモの最中に声をかけた多数の人々が含まれます。当たり前だと信じてきた日常を災害が揺るがせた後、そこから一歩を踏み出し、路上で声を上げ、仲間をつくり、行動を続ける彼らひとりひとりの実践が、前章で見たジョン・ホロウェイの「何百万もの実験」としての抵抗を構成しています。

私の調査に基づくこれらの章は、必ずしも時系列に沿って構成されていません。もし抵抗の「メカニズム」を考えるなら時系列は大事です。しかし私はメカニズムを見つけたいのではなく、抵抗の思想を組み上げたいのです。思想は時空を超えて連結するものです。誰かがある出来事に直面して感じ考えたことを、別の誰かは別の時期に起きた全く別の出来事を通じて感じ、それらがある時、偶然に共鳴します。忘れかけていた自分の過去の経験が、何年も後の出来事によって、初めて重大な意味を持つこともあります。思想はそのような時空を超えた邂逅によって織りなされてゆくのです。

路上の言葉

路上で出会ったデモ参加者にその動機を尋ねたとき、まず語られたのは様々な感情でした。「自分はデモで気持ちを消化する以外に、何をすればいいのか分からなかった。仲間がほしいともがいていた。どうせ何も変えられないと人に言われて、窒息しそうな思いでデモに行って『仲間がいた』と思った。そういう人が集まるところが救いの場だった」(A、三十代女性)[11]

金曜官邸前抗議に参加するある女性は、反原発デモに最初に参加したときのことをそう回想しました。事故の詳細も分からず、余震も続く混乱と恐怖の中で、いてもたってもいられないという衝動が、まず多くの人々を突き動かしたといえるでしょう。こうした情動を他者と共有する場として路上がありました。

もちろん政府や東電への失望や怒りの表出も多く見られました。

「私はこれまで親の言うこと、先生の言うことを聞いてまじめに生きてきた人間だが、言うことを聞いて何になるのか。自分の頭で考えないと。（国は）きっと守ってくれると思っている人がいるけど、守ってくれないよ」（B、六十代女性）[12]

彼女の言葉に含まれるのは、これまで自分が信じてきた権威への不信と怒りだけではありません。それを盲目的に信じてきた自己への戒めが含まれています。すでに確立された権威に従っていれば良い生を送れるという、長年染みついた思考習慣を捨てねばならないという決意が現れています。

二〇一二年三月十一日、東日本大震災からちょうど一年後に行われたデモから調査を開始した私には、デモ参加者が表す最も一般的な情動は、政府や東電への単純な怒りだろうという推測がありました。しかしそれは初日のインタビューで覆されることとなりました。一九六〇年代に学生運動に参加していたという六十代の男性は、デモの参加動機をこう明かしました。

「日本の経済成長の間に、自分たちは原発の恩恵をあずかっていた。こんな事態になって初めて、その危険性を認識した。その反省から参加した」（C、六十代男性）[13]

多くの人から語られたのは、こうした反省や後悔の念でした。年配の世代では、チェルノブイリ事故を挙げて後悔を語る参加者も見られました。

「二十年前から運動していたが、若い人たちに申し訳なくて。私たちの責任を感じる。チェルノブイリのあと盛り上がった反原発運動が沈静化して、(新潟県中越沖地震のときは)柏崎(刈羽原発)の問題でも注目されたけど、また忘れられた。今度こそ忘れないようにしなければ」(D、六十代女性)[14]

この後悔や悔悟に近い感情は、若い世代からも聞かれました。

「アクションを起こさないと何も変わらないと感じた。自分がアクションを起こさないうちに原発がああなってしまった、という危機感がある」(E、二十代女性)[15]

自らの無知、無関心や忘却への後悔を語る参加者を前にして、私に蘇ってきたのは、かつて原発を見学したときの記憶でした。関係者の説明を聞きながら、私の頭の中には「本当に地震が来ても大丈夫だろうか」と疑念が残っていました。しかし、専門家が安全だと語るものに異議を唱えるほどの知識は自分にはないと感じました。他の見学者も質問する気配がなく、私は結局「空気を読んで」口を閉ざしました。

その記憶を目の前の参加者の語りに重ねながら、私は思いました。事故を許したのは、「私たち」ではないのか。私たちが既存の権威に疑問を付さず、深く考えずに受け入れてきたせいではないのかと。

怒りと後悔

後悔や悔悟の念は、一見すると後ろ向きの感情で、抵抗の強い動機になりそうもありません。通常、抵抗運動の動機といえば抑圧的な権力や不公正なシステムへの怒りでしょう。

怒りは、確かに福島第一原発の事故後、人々を路上へと駆り立てた重要な感情でした。事故から一か月後に、歌手の斉藤和義が自らの楽曲の歌詞を変えて発表した反原発ソング「ずっとウソだった」においても、表出されたのは怒りでした。芸能人が政治を語ることを忌避する風潮のある日本社会で、「原発は安全だ」と吹聴してきた政府や学校や電力会社への怒りを率直に歌った曲は、人々の間に驚きと共感を生み、多くの人が声を上げる契機となりました。

原発事故から半年後、東京で開かれた反原発集会で、福島の活動家・武藤類子が表明したのも怒りでした。武藤のスピーチは、「真実は隠されるのだ」「国は国民を守らないのだ」「大きな犠牲の上になお、原発を推進しようとする勢力があるのだ」そして「私たちは棄てられたのだ」と主張し、こう訴えました。

私たちは疲れとやりきれない悲しみに深いため息をつきます。でも口をついて出てくる言葉は、「私たちをばかにするな」「私たちの命を奪うな」です。[16]

自分たちを「静かに怒りを燃やす東北の鬼」と表現した武藤のスピーチは、人々に深い感銘を与えました。しかし武藤は同じスピーチの冒頭で、このようにも語っています。

この事故によって、大きな荷物を背負わせることになってしまった子どもたち、若い人たちに、このような現実をつくってしまった世代として、心から謝りたいと思います。ほんとうにごめんなさい。[17]

自分は被害者であると同時に、未来世代に対する加害者にもなってしまった——そのような重層的なアイデンティティが、彼女の怒りを深く複雑なものにしています。

首都圏の人々にも複雑なアイデンティティがありました。原発事故で放出された放射性物質が、実際に首都圏にまで届いていたことを考えれば、彼らもある意味で政府や東電の被害者といえます。食品は安全なのか、さらに西に避難すべきなのか——情報が錯綜する中で、事故が生んだ不安と分断は東京まで達していました。

一方彼らは、純粋な被害者ではありません。福島第一原発が発電していたのは、首都圏で使われる電力だったからです。彼らはこれまで原発に無関心だった社会の「傍観者」であり、さらに都市と地方の不均衡な権力関係の中での「利益享受者」でもありました。

自分の瞬間的な行動の原理は、政府や東電の明白な嘘に対して「ふざけんな」「人間として、まず立ち返れ」という怒りだったと、杉並区住民の運動「脱原発杉並」[18]でデモなどを主催してきた何森直は振り返りました。しかし、その上でこのように付け足したのが印象的でした。
「でも怒ったってしょうがないって。申し訳ないじゃん、子どもたちに。どうすんの、取り返しつかない。焦りだよね。あとは情けないの一言。自分は同罪だから。自分も東電であり経産省であり、同罪ですよ。[19]すべての利権享受者と同じ。怒りだとするなら、自分に対して怒っているよね」[20]
同じく脱原発杉並で活動していた中村由美も運動に関わる動機を「自分への怒り」と表しています。
「原発を推進してきた人たち……原子力村、経済、政治、学問、そういうものに対して怒りもある。けれど社会をつくってきたのは、私も含めてだから。原発が危ないとは知っていました。でも署名を頼まれたらやるくらいで、主体的に関わってきたことがなかったという反省、自分への怒りもある」
中村は、社会の「お客さんの状態」ではない、自分たちの主体的な考えや言葉、行動の重要さを語ります。
「人任せにしないってこと。自分でまず考えないと。新聞とか評論家とか学者に考えてもらうと、いまみたいになっちゃう。誰かに代弁してもらうんじゃなくて、自分の声で、自分の言葉で発言して、自分たちで自分たちのデモをつくるってことが大事なんじゃないかな」[21]
自分が社会を構築するアクターのひとりだという認識を持っていなかった後悔。それが彼らの行動の原点にあります。特に原発のような高度な専門知識が必要となる問題については、政治家や専門家に任せておけばいいし、むしろそうすべきだと、これまで多くの人々が考えていました。しかし事故が起きて分かったこととは、専門家の知識は事故を防ぐに充分でないということ、そして社会で起きる問題は否応なく自分たちと「つながっている」ものであり、自らをそこから切り離すことはできないということでした。原発に関する「私たち」の無知や無関心は、社会への「非関与」ではなく、地震国の日本に五十基以上もの原発を建設することを暗黙の裡に承認することだったのです。

「私たち」の形成へ

市民が社会の「お客さん」として沈黙してきた社会には、いくつものひずみが生まれていました。これまでの暮らしを続けていたら、「遅かれ早かれ何かひどいことが起きていたと思う」と脱原発杉並で活動していた中村みずきは語りました。システムのひずみは、原発事故でたまたま現れただけで、それはずっとこの国で続いてきたことだと。

「政治家や官僚や企業がいっしょになって、地方を疲弊させて、その上で、原発を建てれば大丈夫だと言って建てさせて。沖縄の基地も同じシステムだと思うけど、貧民を貧民にさせておくことでお金を自分たちの懐にとどめて、甘い汁を吸い続けている。そういうシステムが原発事故で最悪の形で現れた」[22]

特に都市部の人々にとって、このように地方に集中していたひずみは気づきにくいものでした。都市部の多くの人にとって、生はまだ比較的安定したものであり、リスクは自助努力で避けられるものであり、社会を支えるシステムは公正なもののように「見えていた」のです。しかし原発事故は、日本社会のマジョリティを構成する人々の、マジョリティであるがゆえに疑うことのなかった価値観に亀裂を入れました。それまで当たり前のものとして受け入れていたアイデンティティ、それに基づく関係性や生活習慣が、事故を境に受け入れがたいものへ、そして継続してはいけないものへと変わりました。

現代の複雑な社会関係の中では、私たちを取り巻く権力関係の全容は見えず、自分たちの生を抑圧する仕組みを、自らが支えていたとしても、それに気づきません。それはまるで映画の『マトリックス』のようだった、とある官邸前抗議の参加者が語っていました。「日本は平和な国だと思っていたけれど、実際には全部仮想だった」と。(F、二十代男性)[23]

いままで積み上げてきた価値観が崩れ、アイデンティティが揺らいだ地点に生まれる感情が「後悔」なのでしょう。それは「怒り」が比較的明確なアイデンティティを持ち、自らの外に敵を特定できる政治アクターに備わるのとは対照的です。これまで受け入れてきたアイデンティティが生んだ分断や、その分断がもたらした結果を「後悔」し、それを乗り越えるために行動する。それはジョン・ホロウェイが「アイデンティティ化に対する闘い」[24]と呼ぶ抵抗にも接続されます。

では、後悔のような感情は、どのように人々の連帯を生むのでしょうか。脱原発杉並の那波かおりの言葉は、それが従来の連帯の概念とは異なるものであることを示唆します。那波は、これまでマイノリティ運動に関わってきたときなどに、居心地の悪さを感じていたと語ります。自分はどちらかといえば社会のマジョリティ側にいるとの認識があった那波にとって、マイノリティに同調しても「どこか嘘くさい感じがした」と。けれども3・11後の反原発運動は違ったといいます。

「原発問題でマイノリティとマジョリティの比率が変わった感じがする。オキュパイ運動が主張するみたいに、まさに99％がはじかれているのだと示された。出自に関係なく、99％として主張していいんだと思った」[25]

ショックにしろ、怒りにしろ、後悔にしろ、個々人の情動を推力にした運動には、かつての社会運動の中で共有されていたような、来るべき社会の方向性を指し示すイデオロギーはありません。既存の属性（階層・民族など）の枠組みに基づいて自分たちの利益を主張しているわけでもありません。人々をつなぐのは、まさに「99％のマイノリティ」としての自覚――不確実性にさらされ、知らぬうちに他者や自らの生存を脅かすシステムに与していたことの自覚――であり、それに気づいたからには、社会を変えるために何か行動しなければいけないという、焦りのような衝動なのです。

情動の政治の評価

3・11後の市民運動と情動のつながりは、主催者の言葉にも現れています。二〇一一年四月の東京・高円寺の「原発やめろデモ」は、事故直後の混乱や怒りや恐怖が混じり合った、説明のつかない情動を表現する場でした。「原発やめろデモ」の呼びかけに使われたのは、原発は「危ない」し「恐ろしい」からいらないというシンプルな言葉でした。それが、普通の人も声を上げてよいのだという勇気を多くの人に与えたのです。

素人の乱の松本哉は、「原発やめろデモ」をやろうとしたきっかけの一つは、原発事故後の過剰な自粛ムードだったと振り返ります。東日本大震災の直後、花見や観光旅行などの娯楽行為が「不謹慎」とされ、中止になりました。追悼一色で原発事故の不安や疑問も表明できない雰囲気——「あれをなんとかしてぶち壊してやるというのはありました」[26]

デモは「むやみやたらとやるべき」と松本は主張します。

「日本人はやたら我慢したりして、何も言わずに最後に大爆発したりとか、影でこそこそするのが悪い癖。だからデモを連発したほうがいい。思い立ったらすぐ言いたいことを言う癖をつけとかないと、ものすごい不健全な社会になると思うんです」[27]

こうした、情動を推力にした政治には批判もあります。不寛容や無責任さが助長されて、民主主義を危機に陥れるものと捉えられる場合です。3・11後の反原発運動に対しても似たような批判がありました。例えば社会学者の開沼博は、「『社会運動がある社会』がそれほど『いいもの』なのか」と問いかけます。開沼は差別主義者によるデモもあると指摘し、それは「『声の大きい人々』が、承認されない自分の『正義』を随所で表出する社会である可能性を想定するべきだ」と懸念を表します。[28]

反原発デモ参加者たちは代替案を示すことなく感情的に反対しているとの批判も聞かれました。経済学者の池田信夫は、反原発運動が社会現象となった二〇一二年、全原発の運転停止を求めることは経済に打撃を与えて日本を貧しくする選択だと主張し、ブログで運動を「愚者の行進」と酷評しました。[29]

情動と政治の接続は意見の分かれるテーマです。ある種類の情動の表出をめぐっては、運動内でも意見が割れました。放射性汚染に対する「不安」や「恐怖」です。汚染を「過剰に」恐れて危険を強調したり、聞きかじりの被曝対策を広めようとしたりする人々は、反原発運動にとってマイナスだと、内部でも諫める声がありました。例えば脱原発杉並にも参加していた翻訳家の池田香代子は当時をこう振り返ります。

〔……〕〝脱被曝派〟は非科学的なことをいわないでほしい、それはこの未曽有の事故に立ち向かうのになんの役にも立たないうえ、反原発の主張を補強するどころか〝原発推進派〟に突っ込みどころを与え、反原発ムーヴメントの墓穴を掘ることになる、との危惧を強めました。[30]

一方で、不安や恐怖に、安易に「非科学的」というラベルを貼ることにも注意が必要です。これは「風評被害」の言説とも密接に結びついています。風評被害とは通常、安全とされる食品を消費者が買い控えることで生産者側が被る損害を指します。しかし福島の原発事故をめぐる「風評被害」の論法においては、汚染状況がはっきりしない中で安全性を強弁し、買わない選択をする消費者を「非科学的」とラベリングし、買わないという選択に罪悪感を抱かせる装置になっていました。さらにそれは、原発事故の汚染について考え、意見を述べること、果ては原発問題に触れることすら御法度にされる雰囲気をつくり出しました。[31]

事故後、不安を表明する人々に対して「放射線を正しく恐れる」[32]「理性をもって正しく怖がる」[33]など、科学的合理性に基づいた行動を求める声が相次ぎました。しかし科学が常に明確な正解を出せるとは限りません。特に放射能汚染の問題においては、「科学的に無害」という証明は困難で、「有害であることは科学的に証明不可能」——つまり先例が少なすぎて分からないという場合がほとんどです。科学的に証明できないことに人々が警戒心を抱くことは非科学的とはいえず、これを混同させる議論には警戒すべきです。[34]

市民が既存の権威的な知識（政府の方針や科学的言説）を疑うことが、適切な批判なのか非合理的な情動反応なのか、完全に区別することはできません。将来的な影響が未知数の最新の科学技術をめぐる議論では特に判断が難しいでしょう。私たちの理性を買いかぶりすぎることでリスクが見逃されるとき、どんな情動であれ、政治的意思決定の場から排除することが賢明な選択とは言い切れません。そもそも3・11後のデモ参加者の後悔の一つは、彼らが日常で感じていた原発への「恐怖」を事故前に表明しなかったこと、思慮深くあろうとして沈黙したことなのです。

前出の開沼は、反原発運動は、自分たちにとっての「『悪者』をでっち上げ」、それに対する「自己肯定感に満ちた『希望』をでっち上げてカタルシスを得ようとする」[35]運動だと批判します。では彼らは、どんな「希望」をでっち上げたのでしょうか。

二〇一二年当時、反原連メンバーとして官邸前抗議の最前線に立っていた竹中亮（二〇一七年に脱退）は、「希望がないから運動をやっている」と語りました。社会を変える唯一の「希望」は戦争だという赤木智弘の主張をどう思うか、という私の質問に、彼はこう答えています。「赤木は絶望が足りない。絶望しているなんて言っている間は平気なんだ。自分は思う通りになるなんて思ってない。だからやる、任せていられないから」

何かが社会を変えてくれることに希望を託すことはできません。自分が動いても、思い通りになるとも信じられません。それでもこの現実の中では生きてゆくことができないという絶望から、「ノー」という叫びが発せられ、そこに行動する身体が生まれるのです。

「今求められているのは、短絡的に作られた『敵』でも、薄っぺらい『希望』でもない」[36]と開沼は書きますが、反原発運動の参加者を突き動かしたのは、敵に対する憎悪でもなく、希望がもたらすカタルシスでもありませんでした。彼らの抱えた後悔や絶望といった感情を見逃してしまうと、この運動に短絡的で薄っぺらな評価を与えることになりかねません。

感情的な拒絶は生産的でないという批判もありますが、ジョン・ホロウェイは「ノー」という拒絶は肯定的で創造的だと明言します。すでに誰かが決めた決断を拒絶することは、自ら決めることの第一歩だからです。拒絶の「ノー」の表明は、すぐさまそれにとって替わる一つの肯定の「イエス」を伴ってはいませんが、「ノー」から出発した運動の過程で、たくさんの「イエス」がつくられていくとホロウェイは主張します。[37] 否定の声を上げることで、さらに深くその問題を知ってゆく責任や、代替案を考えてゆく責任を引き受けるのです。

情動の政治と倫理

3・11後の東京の反原発運動、特に個人の情動をモチベーションにするアクションについては、「非合理性」への批判だけでなく、倫理性についても疑問が投げかけられました。東京の人々の反原発の主張は、経済振興のため原発を受け入れるしかなかった過疎地の事情を無視、あるいは軽視しているのではないか。東京の反原発派の人々が事故の被曝リスクを強調することで、汚染が懸念される区域に残らざるを得なかった人々を傷つけているのではないか、と。

実際に官邸前抗議を取り上げたテレビ番組の議論で、福島からの参加者が、東京の運動は福島の人々の感情に無頓着であるとの指摘をしました。これに対し、当時の反原連メンバーで、現在は反レイシズム運動の中心的役割を担う野間易通がこのように反論したのが、この運動の特徴をよく表しています。

傷つけることを避けようと思うと黙らざるを得ない。みんながそういうふうになると、ものすごく静かで誰も傷ついてないけど抑圧された世界みたいなものが到来する。ある程度傷つけあうことを覚悟した上で、何かをちゃんと真剣に議論するような土壌をつくっていかないといけない。[38]

現代社会では、私たちの利害は複雑に絡まり合っており、自分の言動や行動の帰結が見えにくくなっています。そのため意図せず誰かを（そしてときには自分自身を）傷つけることになってしまいます。しかし、だからこそ行動せずに引きこもるのではなく、不確かな中で行動し、実践を続けながら修正してゆくことが必要になります。路上はそうした実践の場なのです。

一方倫理性に関しては、より根源的な批判もあります。それは東京という都市部の人々が地方の人々に対して持つ権力性に関するものであり、これについては運動の内部からも批判が向けられました。

たとえ私たちがみな「99％」のマイノリティであったとしても、「暴力は99％に均一にやって来ない」と主張したのは、東京のアクティビストである植松青児です。地方の人々にリスクを背負わせ、これまで原発の電力を享受してきたのは東京の人々ではなかったのか。この反省をもとに、まず東京の人々がすべきだったのは、原発事故で傷ついた福島の人々の救援であり、東電への責任追及だったと植松は語りました。

彼が問題視したのは、「自分たちの仲間が被曝した、どうしてくれるのか」というテーマを脇に置いて、素人の乱や反原連などの主催者が反原発の訴えを再稼働阻止に集約することで、福島の事故が単なる動機になってしまったことでした。デモ主催者たちが都市で生活する自分たちの経験から生じた感情を運動のエネルギーにする一方、そうした都市部の人間の声が、より弱者である福島の人々の声をかき消していることを懸念したのです。そうした状況下では、代弁としてでもいいから、弱者の声を支配的な言説の中の「ノイズ」として、東京の人々が表現してゆかねばならないと植松は考えました。

「例えば小田実の本に『自分の中の無数の人々が騒めき始める』という旨の表現がある。あるいは水俣病運動の中で、詩人の伊藤比呂美が石牟礼道子の言葉を評して『ひとりの人間が喋っているはずなのにいろいろな人の声が聞こえる』と。そこにイデオロギーとは違う人々の行動のあり方の一つの形があると思っている。自分の中に住んでいる別の人間が自分の体を使って喋るというか。ある時期からは、徹底して『福島を返せ』とノイズを出すことにしている」[39]

この行為は、哲学者のエマニュエル・レヴィナスの倫理を想起させます。それは理解できない他者に応答することですが、レヴィナスはさらにその倫理は「〈他者〉にみずからの存在を提供すること」だといいます。[40] この自己の他者への完全な明け渡し、他者に乗っ取られた自己のイメージは、前章でみたケアの倫理にも通じます。

ただし、このような倫理的行動にはある種の崇高さが要求されます。ここに一つの葛藤が生じます。私たちの大多数は各々が不安で不確かで脆弱な個であり、日常を生きることに精一杯で、日常生活の外側にいる他者に思いをはせたり、ましてその人々の思いを自らに取り込んだりする倫理性を、一足飛びに期待することはできません。結局のところ、3・11後の反原発運動が政治に無関心だった多くの人々をひきつけたのは、それが自分たち自身の感情を推力とするものだったためでもあるのです。

この矛盾をどう乗り越えるのかは大きな課題です。しかし、たとえ自分自身の個人的経験や感情を推力にして立ち上がり、主催者が発する分かりやすい政治要求を叫ぶことから運動を始めた首都圏の人々であったとしても、そうした人々の中には、路上で他者と出会い、対話し、ときに批判されながら考え続ける人もたくさんいます。

例えば「福島返せ」という言葉は、那波かおりが当初、叫ぶことをためらったスローガンでした。「なぜかと言うと、福島は私のものではないから」。福島の人々の苦難を想像はできても、一緒に叫ぶほどの一体感を持てなかったと振り返りました。しかし彼女は反原発運動を続ける中で、やがて福島を訪れ、原発事故により避難してきた浪江町の人々とともに過ごす機会を得ました。この出会いを通じて、「福島返せ」と心から思えるようになったといいます。だからいまは「福島返せと、一緒になって叫んでいる。ふるさと、自分の土地を思って」[41]

もうひとり、官邸前抗議に参加する女性は、「廃炉」というコールに戸惑ったと語りました。実際の廃炉作業員が、運動参加者の「廃炉」コールに複雑な思いを抱いていると聞いたことがあったからです。その廃炉作業員にとって、「廃炉」コールは、自分にその危険な作業をすることを期待するように感じられたのです。その作業員の話を聞いてから、彼女は低賃金労働の問題を勉強し始め、ホームレスの強制排除の現場にも足を運びました。

「そういう人を原発の廃炉作業に送るのではないか。そういう作業が必要だから、貧乏な人をわざと放置しているのではないか。そういう人たちの現実を知らずして廃炉とは言えない。そういう人を見ずして廃炉と言えない」(A、三十代女性)[42]

路上で一つの身体がスローガンを叫ぶこと。そうした行為そのものは、社会の絡まり合った構造の中で、ときに無意味に、ときに無責任に、あるいは暴力的にすら見えたりします。「いまここ」で自分の身体に見えるもの、考えられること、できることは限られています。けれども先の見えない中、自分の感覚に従って踏み出した小さな一歩が、自分に新しい疑問や感情や情熱をもたらし、それらによって自分が予測もしなかった方向へ押し流されてゆくことには、倫理的な可能性があります。

自分の情動に基づく行動の倫理性については、素人の乱の松本の言葉も参考になるでしょう。松本は二〇一二年、東日本大震災のチャリティーイベントに招かれたトークショーで、福島のために何ができるかと問われ、以下のように答えています。

> 個人的に何ができるかというと、あまり何もできないんじゃないかと思うんですけど。ただ世の中全体で何とかしなきゃいけないと思うのは、「言うことを聞かない」ということ。いままで原発をつくってきた勢力がのさばってきたのは、何も考えずに言うことを聞く人があまりにも多かったから。勝手なことをやる、言うこと聞かない奴が世の中にどんどん増えていかなきゃいけない。だから素人の乱は場所づくりをやっている。なるべく自分たちでできることは自分たちでやっていこうと。福島も含め、いろんなところに仲間がいて、場所ができてっていう状況を、もっとつくっていかなくちゃいけない。[43]

自分自身の情熱に突き動かされた行動を利己主義的と批判する人もいるかもしれません。しかし彼の行動は他者に対して「開かれた」ものとなっています。運動の中で他者との間で反響を起こすことを望んでいるからです。

もちろん他者を完全に理解できなくても、理解しようとする努力は必要でしょう。東京と福島の間の権力関係を考えるなら、単に「原発やめろ」と叫ぶだけでは充分ではありません。しかし「弱く不安な私たち」が、原発やめろと叫ぶことで踏み出す第一歩は、路上で生まれる反響を経て、より倫理的なものになっていく可能性を宿しています。

不確かな個の倫理

倫理とは通常、自律的な主体をもとに考えられてきました。そこで想定されていたのは、自分の利益や他者の利益を知っている主体、他者への責任を義務として引き受ける主体でした。けれども前章まで見てきた通り、私たちは現代社会において、ますます不安で不確かな存在になっています。

３・11後の反原発運動は、この弱く不確かな個人でも（あるいはそうだからこそ）、倫理的なアクターになれると示しているように感じます。デモ参加者が行動し続ける動機として語った印象深いものに、「忘却への恐れ」がありました。脱原発杉並で活動していた那波かおりは、原子炉建屋の爆発を見たときに、自分が「ここに加担してきたのだという気持ちがわいてきた」と語りました。過去の戦争や、東海村のＪＣＯ事故などの原子力災害に、自分はショックを受けては忘れてきた――その結果として事故が起きたように感じたというのです。

「（これらの出来事を）思い出しても、合理化していっちゃう。日々の中に埋もれさせていっちゃう。原発の爆発を見たとき、それを二度とやっちゃだめだと。生活とか日々の忙しさとかを理由にして、このいまの気持ちを埋もれさせていったら、きっと自尊感情を保てなくなるだろうなと思ったから。そう思ってツイッターを始めた。世の中に向けて発信すれば、何か言ったという記録を残せば、それに従って、そこから自分もまた考えていくだろうと思ったので」[44]

彼女だけではありません。事故から三年後の二〇一四年三月、東京の反原発デモで話を聞いた二十代の女性も、その動機を日常の中で事故について忘れてしまう自分への「戒め」と語りました。[45]もし何もしなければ、原発事故の記憶はすぐに薄れて消えてしまう——だからこそ自分の身体を他者のいるデモの場に運び、感じることを強いるのです。

官邸前抗議をサポートしている川口和正の二〇一三年のツイートは、不完全で揺らぎを宿した人々の倫理を考える上で、示唆深いものでした。

時事刻々。日々、様々なことが起き、進む中、震災で被災した地、原発事故で被害に遭った地や人たちのことが彼方に押しやられてはいけない、忘れ去られてはいけない。被災地の方にそう言ったら、「いや、忘れてもいいんです、忘れたらまた思い出してもらえればいいんです」と返ってきた。[46]

この印象深い言葉は、ライターである川口が、岩手県釜石市で震災後のまちづくり支援に携わる女性を取材した際に聞いた言葉だそうです。[47]

3・11後の路上には、自分たちが不完全で忘れっぽい存在であることを認めた上で、それでもなお倫理的な行動を模索する試みがありました。その倫理は非常にシンプルなものです。それは、自分に思い出すよう強いる他者に「開いていること」です。

私たちの生そのものが不確実なものとなり、これまでの倫理の基盤が揺るがされている中で、なお私たちが他者に責任を負うならば、その責任も生の不確かさを反映したものでなければなりません。その責任とは、何千回も忘れては思い出し、出会いを重ねながら、自分も一部であるその社会の配置を、その都度より良い形につくり変えてゆくことといえるでしょう。

倫理とユーモア

英国の哲学者のサイモン・クリッチリーは、レヴィナスの哲学を引きつつ、トラウマ的な経験が倫理を呼び寄せるのだと述べます。それは警告もなく「主体の外」からやってきて、「主体の中に痕跡を残す」[48]。トラウマ的な出来事によって、人々は理解不能の「他者＝外部」にさらされ、主体としての性質が引き裂かれます。この決して理解し得ない他者に対して応答することから倫理が生まれるというのです。

けれども理解できない他者に開き続け、応答し続けることは多大な負担が伴います。クリッチリーは、この応答し続けるという「無限の責任」とともに生きる方法を模索します。私たちは引き裂かれた主体を癒すべきでしょうか。それともそうした主体を英雄とすることで痛みを麻痺させるべきでしょうか。クリッチリーは最終的にこうしたプロジェクトから離れて、倫理的な主体に必要なのは「ユーモア」だと述べます。それは「自分の不完全さを笑う態度」、あるいは他者の要求に対する自分の応答が、永遠に不完全であることを自嘲することです[49]。このユーモアの態度こそ、適切な応答をしなければならないという負担から人々を解放し、彼らが重い倫理責任で極度に消耗するのを防ぎます。

このユーモアを常に意識していたのが、脱原発杉並に集う人々でした。ある参加者は、かつての学生運動の末路を引きながら、純粋さを運動の動機や目的とすることは危険であると語りました。純粋でないものを追放し、純粋さの度合いによって階層をつくることになるからです。そして純粋さの追求の代わりに「ゆるさ」を軸とすることを提案しました。

「自分は百パーセント正しい人にはなれない。けれども『おれも汚れている』という地平はみんな一緒で共有できる。誰かを糾弾するのではない、怒りではない、ユーモア、うるおいやウィットを表現の軸に出来ないか」(G、四十代男性)[50]

脱原発杉並が二〇一二年の二月と五月に地元で主催したデモは、非常にユーモラスなものでした。デモにはカラオケ機材を載せたトラックや移動式バーまでありました。こうしたデモは、反原発を口実に自分たちが楽しんでいるだけだという批判も巻き起こしましたが、私はむしろ逆のように感じました。カーニバルを口実に責任を引き受けるのです。私たちが原発事故によって突き付けられた責任——見知らぬ他者に開き続け、理解できないまま応答を続けること

——を受け入れ、果たすために喜びや楽しさが必要なのです。

　ユーモアは「不完全さ」を前提にします。そして災厄こそ、普段忘れている私たちの生の不確かさと、それゆえの不完全さを暴く出来事です。災厄は私たちが努力して手に入れたものを容赦なく奪う不条理なものです。そして、それゆえ自己完結や自己責任を求める規範は意味を失います。

　脱原発杉並の那波かおりが、3・11前の自分の「努力」を振り返る言葉が印象的でした。

「競争させられていたんですね、私たち。競争の中で勝ちたいというわけじゃなかったけど、自分の力を出して獲得するものは獲得しなければという思いで努力した。家や子どもの教育。自力でやっていこうと厳しくやってきた。〔……〕99％の中の少し上に行きたかったのね。でもいまは、もう考えていない」[51]

　3・11の前は「99％の自覚なんて何もなかった」と那波は言います。「この国には自分が99％のひとりだっていうことを見えにくくさせている生温かさがある」と。

　その生温かさの中で、人々は社会が求める役割を果たし、社会に認められるため努力し競争してきました。災害は、そんな社会を切り裂く亀裂でした。生は常に、自分の意図を超えたところへ展開してゆきます。完全に自己完結した生を送ることはできないとき、私たちの努力は他者と助け合う方向に注がれます。

　個人の合理性、想像力、道徳心には限界があります。それを認めるとき、私たちは不完全な個の集合体として、より良い社会の配置を探ってゆくことになります。目的地を初めから知ることはできません。だから他者と接触し、応答をもらい、その反響を頼りに進む——「道をたずねながら、われわれは歩く」のです。[52]

亀裂と情動

「不完全で不確かで脆弱な私たち」の倫理を考えるとき、まだ疑問が残っています。災厄が、不可視化されていた「他者」に開く亀裂をもたらし、そして私たちが、他者への責任をユーモアによって引き受けることができるとしても、それは必ずしも人々が「開き続ける」動機とはなりません。地震や津波や原発事故は、被災地の人々にとっては日常そのものを破壊する出来事でした。けれども東京の人々にとって、災厄で亀裂が生じたのは、彼らのアイデンティティや価値観のようなものです。ならば亀裂を塞いで、元に戻ることもできるのでは？　これまで受け入れてきたものを拒否し、自分の周りの関係性をつくり変えるよりも、亀裂を塞いで、これまで通り生きるほうがずっと簡単です。

実際、震災時に海外で暮らしていた私が一年後に帰国して東京を訪れたとき、日本は以前と変わらぬ国に見えました。「災害前」に戻ることができなかったり、戻ることを拒否したりした人々が、首相官邸前で声を枯らしてコールするのを聞いた後に、そのまま地下鉄の駅へ下って電車に乗ると、そこには拍子抜けするほど昔と変わらぬ日本社会があって、ひどく混乱したことを覚えています。

3・11の後、被災地の人々を置き去りにして、元の日常に退いていったように見える日本社会の中で、官邸前や国会前には例外的に3・11で開いた亀裂が残っています。人々は、痛みや怒りを思い出そうと集い、そこで新たに身体に刻んだ情動をもとに行動を続けています。彼らが最初にそこに身体を運んだ理由は、ショックや怒りや後悔だったかもしれません。では、彼らが自分の身体を亀裂に運び続け、外部にさらし続けるモチベーションは何なのでしょうか。誰かへの義務感でしょうか。

金曜官邸前抗議を主催する首都圏反原発連合のミサオ・レッドウルフは、二〇一二年三月のインタビューでこう語っていました。

「私は自分のために活動している。原発は見過ごしてはいけない大きい問題じゃないですか。それをやらずに、死ぬときに恥じたくない。究極自分のためにやっているから耐えてゆけると思うんですよ」[53]

「自分のため」とはどういうことなのでしょうか。官邸前抗議が大きなうねりをつくり出し、一躍反原発運動をリードする存在となったミサオ・レッドウルフに、再び取材を行なった二〇一四年四月、彼女はその思いを次のように説明しました。

「福島と、他の東京とかの地域を分けて考える人たちがいるんですね。東京の運動が福島に寄り添ってないとか批判をされる。でもそれって逆に言うと、(分けている時点で) 自分ごとじゃないということなんです、原発事故のことが。でも原発の問題は、放射能のことに関して言えば、事故が起こったらどんな場所でも関係ない。もっと（原発問題が）自分の問題になっていいはずなんですね。当事者意識の問題だと思います」[54]

さらに新自由主義という「システムに住まないといけない自分の問題としてやっている」とミサオは語りました。「こんなやつらに支配されたくない」という思いがあると。

それまでイラストレーターとして活動していたミサオは、福島の原発事故の後に仕事を離れ、反原発運動の活動に専念するようになりました。

「社会を変えていくのは創造的なこと。ひとりのアーティストとして、多少知っている筋で歴史に名が残る人になるより、いい世の中にするための礎のひとりになることのほうが、自分の魂が欲しているのだと気付いたというか」[55]

彼女の語りには、能動的であると同時に受動的な響きがあります。自分の人生が、背景の環境に溶け込んでいるような存在として、なお「自分のために」行動していると語るのです。

「東京が福島に寄り添う」とは「福島と東京を分けて考える」ことだという彼女の言葉を聞きながら、私はふたつの倫理の形を思い描きました。一つは道徳義務的な関係で、運動に参加する東京の人たちが、福島の人々の痛みを理解して、彼らの「ために」行動するというもの。これは痛みを持つ福島の人々と、それを理解する東京の運動参加者を分けて考えることであり、いくつかの問題に直面します。「福島の人」の中にも多様な考えがあるということ。そして他人の痛みを完全には理解できないということ。

もう一つの倫理とは、対象を理解することではなく、絡まり合うことによって生まれます。自分と他者が混ざり合ったときに生じる情動——痛みや怒りや誇り——に基づいて行動するとき、それを人は「自分のために」行動すると語るのではないでしょうか。ここで語られるのは、独立した存在としての自己が持つ望みではなく、他人のための望みでもありません。自己と他者の生が絡まり合った中に宿る望み、としかいえないようなものです。

3・11以前から反原発運動に携わってきたミサオは、その原点に個人的な「亀裂」の体験を挙げます。それは彼女が精神的に消耗し「瞑想をせざるを得ない状態だった」時期の神秘体験でした。瞑想中に彼女は、古代の日本の自然風景を見て、歴史的に葬り去られてきた先住民の声を聞いたといいます。「いままで私を見ていてくれた存在があるんだと分かって、自分の魂の命綱が見え、安堵感を得た。それと同時に、自分を覆っていた様々な悩みや煩悩のようなものがすべて洗い流されたような感じだった」[56]

近代化の歴史の中で失われていった、自然と共生する信仰や文化に関心を持ち始めたころ、青森県六ヶ所村の核燃料再処理工場の反対運動に誘われ、そうした文化の破壊の象徴としての原発問題が自分の体験とリンクしたといいます。ミサオにとって、いまは存在しない過去の人々の思いを刻みこんだ自分の身体こそが抵抗の拠点になっており、現在と過去、そして自己と他者の交錯から、救いも誇りも望みも生まれているのです。

「溶けた個」

「誰かのため」ではなく「自分のため」の運動という語りは、官邸前抗議で出会った人々からも聞かれました。原発事故から約三年後の二〇一四年、官邸前抗議で出会った女性は、なぜここにいるのかという私の問いに、このように答えました。

「自己満足というとマイナスのイメージがあるけれど……誰かのためというわけではなく、自分がここに来たいから来ている。具合が悪いとき、行くのをやめようかと思うけど、後悔したくないという気持ちが勝って、三十分でもいいからと思ってここに来る。この場の一員として私がここにいることは、自分にとっても心地よい」（H、六十代女性）[57]

彼女はこの「自己満足」について、自分がやっている被災地でのボランティアと似ていると説明してくれました。瓦礫処理は誰もいない場所で活動することが多く、現地の人と触れ合いがあるわけでもないのに、「いい気持ちで帰ってくる」というのです。

「寒いし疲れるのに……充実している。満たされるのかな。人のためにやっているから満たされるのではなく、自分のためにやっているから」（H、六十代女性）[58]

彼女が「自己満足」と語るときの「自己」には、名前をもたず、誰の承認も得ることない、周囲に溶けこんだ個のようなイメージがありました。

大勢の人が同じ場所に集まって一緒にコールをする官邸前抗議では、人々はよく「頭数になりに来た」という表現を使います。「枯れ木も山の賑わいだと思って」参加していると語る人もいました。それは、自分を認識してもらうための固有の名を持たない存在です。独立した個というより運動の中に「溶けた個」です。それは決して、集団の中に埋没した個ではありません。個性は存在するけれど、それは他者と絡まり合っていて、分離することが不可能なのです。

集団的な行動の中に溶け出した個は、森の中の名前のない一本の木、あるいはただの「プラスワン」の数かもしれません。けれどもそうした存在は、溶けた個としての生に誇りを抱き、充実を感じています。名のない個が集まり行動する中で、自分の中に、他者の中に、そして社会の中に変化をつくっている実感があるからでしょう。

仮にこの動機を「自己満足」と呼ぶにしても、それは自分の利益を満たす利己的行為とは違います。自分を貫く他者の影響によって、自分の生がある程度の制約を受けることを許容しながら、自分の身体に備わった能力を持って応答すること。そこに誇りや充実を感じるとき、そこで倫理と個人の願望が接続されます。自己を完全に閉ざすことも、完全に他者に明け渡すこともなく、他者と絡み合った複数的な自己として行動する存在に、災厄という亀裂から生まれた倫理的かつ政治的なアクターの可能性を見ることができます。

官邸前抗議で出会った別の若い男性も、「複数的な個」を体現していたひとりです。原発事故後、福島の人々のことを知りたいと現地を訪れたその男性は、人々と寝食をともにする経験を通じて、「福島が第二の故郷みたいになった。自己が拡大して、彼らの問題が自分の問題になった」と話しました（I、三十代男性）[59]。その日、彼は白い防護服を着ていて、そこには福島の人々からのメッセージが書かれていました。彼は誇らしげに「福島を背負っている」と言ったのですが、私はそれを彼が福島のために行動しているという意味には受け取りませんでした。福島の人々の思いを肌身に着けることで、福島の人々とともに生きているというふうに聞こえたのです。

受動と能動、否定と肯定

災厄から生まれる政治と倫理を考えるとき、そこには否定性や受動性が孕まれます。災厄は、私たちが完全に制御し得ない力が引き起こすものであり、これは私たちが理解できる秩序立った世界の「外」にある力の侵入です。この侵入を私たちは拒めません。制御できない、理解できない、閉ざすことができない——こうした否定性／受動性に生じる痛みが、行動の原動力になっています。

日常に亀裂をもたらすのは災害だけではありません。例えば、金曜官邸前抗議の後に参加者の対話の場を設けていたアクティビストの松永健吾は、自分の活動の原点に父の死を挙げました。家族を失った痛みは、同じような痛みを抱えた世界の人々の痛みと「リンクした」のです。それはちょうど二〇〇五年のパキスタン大地震のころで、彼は仲間に寄付を呼びかけて、冬を迎えようとしていた被災地に大型テントを寄付しました。

「おれは幸か不幸かそういうのに気付いてしまったから……じゃあおれはどう生きるのかと

考えたときに、それに向き合おうと決めただけで。別におれがひとり頑張ったところで世界が良くなると思い上がっているわけではなくて。でも共感して加わってくれる人が百人、千人、一万人、百万人と増えていけば、その中からちょっとずつ社会が、国が、世界がいい方に変わっていくんじゃないか、っていう願望みたいなものを持ってやっている」[60]

恐らく私たちはみな、日常で何らかの亀裂を経験します。私たちは疲弊したとき、普段は遮断している他者の侵入を許します。その他者は異質であり、すでに弱った身体をさらに傷つける存在なので、一般的な治療は侵入した異物を取り除くことになるでしょう。そのように亀裂を塞ぎ、元に戻ろうとする試みがある一方で、松永の語りは別の可能性を示唆しています。それは亀裂がもたらした混乱の中で、致命傷にならない形で異物を受け入れられるように自らの構成を変え、他者を巻き込んだ身体として新たな望みを持ち、新たな動きを生み出すことです。そこには受動と能動の重なりがあり、その中で制御できない出来事に見舞われた生が、肯定されるものに変わっています。

原発事故という亀裂がもたらした混乱の中で、路上に飛び出した人々も、このような受動性と能動性の重なりに生まれる力を、創造に向けようとしています。そして路上で出会う人々の相互作用で、その力が増幅されてゆきます。那波かおりは、3・11直後の反原発運動について、危機的状況の中でみなが「突き動かされて」動いていたと語りました。

「英語でコーリングって言いますよね。何かに呼ばれている、という感じ。確かに主体性は持っているし、すべて自分の責任で行動をしているけれど、こんな風に何かに突き動かされたように事を進めていくのは、これまでの人生でなかった。動機はひとりひとり別だけど、一つの目的を持った人たちがあちこちにいて、つながって仲間になって、それがさらにつながっていく」[61]

予期せぬものの侵入を許すこと。それによって主体性が揺らぎ、自己の配置が変わってゆくこと。それに対するポジティブな思いを、中村由美は脱原発杉並での活動を振り返って語りました。誰もが参加自由の開かれた会議で、熱意のこもった発言や提案を聞くたびに、彼女自身の考えも変わってゆく、それは「心地よかった」と。

「人の中には、自分が変わっていくことを気持ちいいと思うものが、最初からあると思うの。嫌がらせとか脅しで変えられるのでなく、誰かの熱弁を聞いて、幸せな方向に変わる。楽しい提案をされ『私もそうしたい』という気持ちになる。これが私というときの、あなたと私のきっちりとした境目が曖昧になって揺らぐ、別の色が入ってくる」[62]

こうした心地よい感覚とは、「ギュッと閉じていたものを開く」感じだと中村は表現しました。「山頂で新鮮な空気を深呼吸する感じ。自分を吐き出して、相手から何かを取り込む」[63]

もちろん他者の侵入はリスクに満ちています。致命傷となる可能性は否定できないし、そうでなくても異質なものとの接触は数々の面倒を生みます。私も何度も参加した脱原発杉並の会議は、長く曲がりくねった議論の中で人々の意見が揺れ動き、その果てにようやくまとまりかけていた話が、たったひとりの意見をきっかけに、完全にひっくり返ることもあり、みんなで迷子になりながら歩いている気分でした。けれども議論の終わりに、全く予想もしなかった地点に辿り着いて、そこに残った意見に心の底から拍手を送るときに感じていたのは、やはり受動と能動の間の「心地よさ」だったように思います。

生の政治

3・11後の反原発運動が盛り上がったころ、もう一つ特徴的だった語りが、この運動は「右」「左」の政治的イデオロギーを超えた、「いのち」の問題を扱う運動だというものです。「いのちを守れ」「子どもを守れ」といったスローガンは、「原発いらない」「再稼働反対」と並んで、いまも運動の中で頻繁に聞かれます。

この3・11後の反原発運動の中で語られる「いのち」は、やはり「他者と絡まり合った個」を反映しています。二〇一二年秋に出会った官邸前抗議参加者は、原発事故を機に、「私たちは、いのちと生活を区別しなければいけない」と考えるようになったと語りました。生活が「時代によって変わる個体の生き方」であり、場合によっては人々の間に分断を生むのに対して、彼女がいのちと考えるものは、「過去から未来へとつながっているもの」であり、「自分が周りと関わる中で生まれるもの」だといいます（J、六十代女性）[64]。「生活というと分断されるけれども、いのちというと世界に開かれる」と彼女は語りました。

その上で、彼女は過去から未来へつながるいのちを「細胞のような」と表現しましたが、それは他者と交雑しながら、その痕跡を脈々と蓄積し、変化させながら未来へ受け継いでゆくもの、すなわちゲノムを私に想起させました。ゲノムは自分の中にある他者の痕跡です。それは、いま私たちが直接向き合う他者ではなく、もう存在していない過去の他者、あるいはまだ存在していない未来の他者です。こうした「もう／まだ存在していない」他者は政治的に代表されえません。しかしその存在は私たちの中にすでに刻まれており、それは私たちに認識されるというより、形がない情動として内部に感じられるものです。そしてその感覚が、私たちの行動や決断、どう生きたいかという望みにも反映されます。

震災後、夫婦で関東から九州に避難したというある参加者は、私がインタビューした二〇一二年末のこの日が初めての官邸前抗議だといい、このように語りました。

「人生、半世紀以上生きてきて、こんなことが起こるなんて信じられなかった。戦争でも復興する。でも福島（の汚染が深刻な区域）は半永久的に住めない。自分の生きている間に戦争以上のことが起きてしまった。自分のことだけを気にしていられない。孫や子どものために、おばあちゃんは何かやったと言い訳したい」（K、五十代女性）[65]

守りたい「いのち」とは、過去から受け継がれ、いまを生きる人々を巻き込み、未来へと継承される流れのようなものかもしれません。原発事故が彼女たちにとって大きなショックだったのは、その流れが事故によって、全く望んでいなかった方向に歪められてしまったからです。

実は私にとって「いのちを守れ」「子どもを守れ」というスローガンは、当初しっくりくるものではありませんでした。どこかはがゆく、心が信じていない言葉を口先で唱えているような感じがありました。「いまここ」でもがいている自分の生は、その他の「いのち」や「子ども」にそこまで思いを馳せられないと感じていました。恐らく反原発運動がミドルクラスの理想主義的な運動と捉えられるのと同じような理由でしょう。赤木智弘も、反原発運動が大きな盛り上がりを見せていた二〇一二年夏のツイートで、「金よりいのち」と訴える反原発運動は経済的に安定した人々の運動であり、「子どものために」というスローガンも、子どもを養う余裕がある裕福な人の言葉だと述べています。[66]

しかし私は運動に参加する中で、これらのスローガンが急に重みを持って身体の奥深くに響いた瞬間がありました。その日、国会前でそれを口にしたとき、私は自分が立つ路上、たくさんの人たちと一緒に踏みしめるアスファルトが、はるか未来まで地続きのように感じました。自分がいまここで取る行動が、そのまま未来までつながっていると実感したのです。それは突然やってきた感覚で、その日に特別な出来事があったわけではありません。それまでに耳にした数多くのデモ参加者たちの語りが、自分の内側に小さな変化を刻み続け、その積み重なりが視界を開いたような感じでした。運動が自分を予想もつかないところに連れていくということ、流れとしての「いのち」や、その中の「溶けた個」という感覚——デモ参加者たちが語っていたことを、そのとき初めて身体を通じて知ったのです。

そのとき同時に考えたのは、「子どもを守れ」「いのちを守れ」というスローガンは、政府に対する要求以上のものなのだということでした。自分を巻き込む「いのち」の流れを少しでも良い方向に向けることが、私たちの責任であると同時に願望だと、自分たち自身に思い起こさせ、それを感じるために、人々は何度もこの場に来てその言葉を唱えるのではないかと思ったのです。

生の肯定

「いのち」を守る運動という、3・11後の反原発運動の比較的初期によく聞かれ、いまもスローガンとして残るこの言葉は、運動参加者の身体的情動がのちに「正義」や「民主主義」といった理念に集約される前の、定義づけられていないからこそエネルギーに満ちた運動の性質を、よく表しているように感じます。そのため私も「災厄後」の路上に現れた政治実践を、ひとまず「生の政治」として要約したいと思います。

まずそれは亀裂に生じるものでした。それまで自分から切り離された外部だと思っていた（けれども実はつながっていた）ものへの防御が綻び、個体が脆弱性にさらされます。こうした亀裂が私たちを忘れられた他者と出会わせ、それに応答する行動が生まれます。その応答とは常に不完全なものです。個体は他者を完全に知りえないし、そもそも自分自身をも知りえません。さらに個体は放っておくと忘却し——つまりまた「閉じて」しまい——、新たに生まれた境界線の向こう側の、（本当はつながっているはずの）「外部」の出来事に無関心になってゆきます。こうした不完全さを生の一部と捉えて受け入れた上で、なお原発事故が呼び起こす責任に向き合う術を探ること。そうした政治の可能性を、私は3・11後の東京の路上に見てきたように思います。

二〇一二年五月六日、第一回目のフィールド調査の最終日、私は脱原発杉並のデモに参加しました。それは、大飯原発再稼働に反対する首相官邸前抗議がピークを迎える前の時期で、国内で唯一稼働していた泊原発が定期点検で停止し、一時的に日本の全原発が停止したことを祝うものでした。それがデモを企画した人々の率直な感情表現だったのです。

春の盛りのパレードは、彼らの地元・杉並でオープンカーを先頭に、マーチングバンドやロックバンド、カラオケカーも引き連れた賑やかなものでした。しかし出発時に降り始めた雨は、途中でひょうに変わりました。慌てて雨宿りの場所を探そうとする途中、ある光景が目に留まりました。多くのデモ参加者は、激しいひょうの下で歓声を上げ、自分たちに降り注いでくるあらゆるものを歓迎しているように見えたのです。後から振り返れば、あれがまさに「生の政治」の表現だったように思います。

パレードの後、主催者のひとりである中村みずきはこう語りました。

「とんでもないひどい時代だけど、不謹慎かもしれないけど、わくわくもしている。いろんな人とつながってアクションを起こせるから」[67]

全原発の停止を祝ったこのパレードから二か月も経たないうちに大飯原発の再稼働が決まり、反原発運動はピークを迎えました。しかし再稼働を止めることはできず、さらに同年冬には自民党が政権を奪回したことで、反原発運動は縮小しました。

それでも路上では、現在も元に戻ることを拒んだ人々が声を上げています。忙しい日常を送りながらも週に一回、あるいは月に一回、あるいは年に一回でも路上に出て声を上げること。それは閉ざされたものを開くことです。

ここでいう「開くこと」は、必ずしも「閉ざすこと」の絶対的な否定ではありません。路上にあるのは、個体の安定を守りつつ、外部に開いて自己を組み替えること――つまり、閉ざすことと開くことのバランスを探る試みです。そしてこのバランスを探る試みは、生そのものの性質といえます。

その意味で、私が考える「生の政治」は、脱原発杉並で活動していた何森の次の言葉に要約されています。

「あまりにもいまの社会って複雑じゃない。利害関係が複雑に絡んでいるし。ともすれば自分の大嫌いな団体のステークホルダーになっている。それをさ、悪とか原罪とか考えてたら、生まれてこなきゃよかったって話になっちゃう。でも理論もへったくれもないんだよ、生命に。生きようとするんだ。だから白黒はっきりとか、そんなの誰も付けられない」[68]

生に関する私たちの多くの問いは、「何をすべきか」という言葉によって表現されてきました。何が私たちの責任なのか、私たちはどの程度、他者を思いやるべきなのか、私たちは自分たちの喜びを他者のためにどの程度犠牲にすべきなのか。これらの問いは、生に関する絶対的なモデルを求めています。しかしそれは、本当に私たちが知りたい問いなのでしょうか。

生は常に破断を宿しており、亀裂は予期せぬ形で現れます。私が知りたいのは、自分たちの不安定で脆くて限りある身体が、いかにして外部に開かれ、異質で見知らぬ他者と出会うことができるかということです。そのときどうやって、自らに備わった力を使って、自分自身や周囲の環境に変化をもたらし、自分や他者の生を肯定することができるかということです。その格闘の軌跡が、災厄から生まれた「生の政治」だと思います。

注

1　ウルリヒ・ベック『危険社会――新しい近代への道』、東廉、伊藤美登里訳、法政大学出版局、一九九八年。

2　チェルノブイリ事故後の一九八九年から原発に反対してきた「たんぽぽ舎」は三月十二日にすでに抗議活動を行なっています。さらにイラク反戦運動などに携わってきた活動家の園良太の呼びかけで、三月十八日から東電前での抗議が始まりました。三月二十七日、銀座で行われた六ヶ所村再処理反対のデモは長年続く月例デモで、通常は三十人規模だったそうですが、この日は千二百人も集まりました。東電前の抗議については以下を参照。園良太『ボクが東電前に立ったわけ――3・11原発事故に怒る若者たち』、三一書房、二

○一一年。また3・11以降の全国各地での反原発運動の展開については、以下を参照。木下ちがや「反原発デモはどのように展開したか」、小熊英二編著『原発を止める人々――3・11から官邸前まで』、文芸春秋、二〇一三年。

3　素人の乱については以下を参照。松本哉『貧乏人の逆襲！　タダで生きる方法　増補版』、筑摩書房、二〇一一年。

4　木下、二〇一三年。

5　五野井郁夫『「デモ」とは何か――変貌する直接民主主義』、NHK出版、二〇一二年。

6　この「経産省前テントひろば」は二〇一六年八月にテントが強制撤去されましたが、脱原発を訴える座り込みは続いています。

7　首都圏反原発連合は、首都圏の複数の反原発グループや団体の代表者らが集まるネットワーク組織として二〇一一年九月に設立されました。現在では一つのグループとして、毎週金曜日の官邸前抗議を主催し、リーフレットなどを発行しています。私がインタビューをした直後の二〇一二年三月末から、毎週の官邸前抗議を始めました。

8　新型コロナウイルス感染症の拡大防止期間中は休止。抗議日程の詳細は反原連ウェブサイト〈http://coalitionagainstnukes.jp/〉

9　期間中に話を聞いた人はのべ一四六人です。独立系アクティビストやデモ主催者ついては、事前に連絡を取って研究の趣旨を説明し、インタビューの許可を得て実施しました。実名公表の許可を得た人については、本書でも実名になっています。一方でデモ参加者については、イベントの最中に声をかけ、簡単に趣旨を説明してインタビューを実施しました。このため、研究者（著者）との信頼関係を構築する時間が充分でないと判断し、インタビューは原則匿名で実施し、性別と年代のみを確認しました。

10　Graeme Chesters, "Social movements and the ethics of knowledge production". *Social movement studies* 11(2),

2012, p.147.

11 筆者によるインタビュー、二〇一三年一月三日。

12 官邸前抗議において、筆者のインタビュー、二〇一二年十一月二十三日。

13 反原発デモにて筆者によるインタビュー、二〇一二年三月十一日。

14 同右。

15 同右。

16 このスピーチは、二〇一一年九月十九日、東京都新宿区の明治公園で開かれた「さようなら原発集会」で武藤類子が行なったものです。全文は以下を参照。武藤類子『福島からあなたへ』、大月書店、二〇一二年。

17 前掲書。

18 「脱原発杉並」は、東京の杉並区の住民らを中心とした反原発グループです。私が脱原発杉並にインタビューを決めたのは、彼らが二〇一二年二月に実施したカーニバル的なデモにアクティビストの雨宮処凛や素人の乱の松本哉が参加し、ブログで称賛を寄せていたからです。脱原発杉並は店主や会社員、区議、ライターや翻訳家、学生など多様な人々で構成され、二〇一二年を中心に、地元でのデモやイベントを主催していました。その会議は誰でも参加でき、オンラインで中継もされていました。私も参加し、意思決定プロセスを実際に体験しました。

19 何森は、「自分は東電」という言葉を、市民活動家の稲葉剛が脱原発杉並のデモ前の集会で行なったスピーチから引用しています。このとき稲葉は、水俣病患者の緒方正人が、原因企業であるチッソの責任を追及しながらも、そのような近代文明を作ってきたひとりとして「チッソは私であった」と語ったことに触れながら、「私は『東京電力は私であった』と言わなければならないでしょう」と述べています。スピーチは以下に収録。瀬戸内寂聴、鎌田慧、柄谷行人ほか、『脱原発とデモ――そして、民主主義』、筑摩書房、二〇一二年。

20 筆者によるインタビュー、二〇一二年四月五日。
21 筆者によるインタビュー、二〇一二年三月十五日。
22 筆者によるインタビュー、二〇一三年一月十三日。
23 官邸前抗議において、筆者によるインタビュー、二〇一四年五月二日。
24 John Holloway. *Change the world without taking power.* 2nd edition. Pluto Press, 2005.〔ジョン・ホロウェイ『権力を取らずに世界を変える』、大窪一志、四茂野修訳、同時代社、二〇〇九年〕。本書の第二章を参照。
25 筆者によるインタビュー、二〇一二年三月二十五日。
26 筆者によるインタビュー、二〇一二年四月六日。
27 筆者によるインタビュー、二〇一二年四月六日。
28 開沼博『フクシマの正義――「日本の変わらなさ」との闘い』、幻冬舎、二〇一二年、一一四―一一五頁。
29 池田信夫は官邸前抗議が最も盛り上がりを見せた翌日のブログ記事で、原発を動かすなと言う要求について、「すでに五兆円に達している原発停止による損失をさらに拡大するだろう。つまりこれは日本をさらに貧しくしろというデモなのだ」と述べています。池田信夫「愚者の行進」『アゴラ　言論プラットフォーム』、二〇一二年六月三十日。〈http://agora-web.jp/archives/1468860.html〉
30 池田香代子ほか『しあわせになるための「福島差別」論』、かもがわ出版、二〇一八年、六〇頁。
31 福島第一原発の事故をめぐる「風評被害」言説の影響については以下を参照。原山浩介「『風評被害』の加害者たち」、中田英樹、髙村竜平編『復興に抗する――地域開発の経験と東日本大震災後の日本』、有志舎、二〇一八年。
32 調麻佐志「奪われる「リアリティ」――低線量被曝をめぐる科学／『科学』の使われ方」、中村征樹編『ポスト3・11の科学と政治』、ナカニシヤ出版、二〇一三年。引用は、二〇一一年七月一日に開かれた日本学術会議緊急講演会のタイトルです。調はこのタイトルを引きながら、市民が放射線に抱く漠然とした不安を、科学知識の欠如のためだと決めつける科学者の姿勢を問題視します。放射線の影響について、科学が確定的な答えを出していないにもかかわらず、科学を語る啓蒙によって国民の不安を除去しようとしたことを批判するのです。

33　原山、二〇一八年。風評被害について述べた読売新聞の「編集手帳」の記事（二〇一一年三月二十三日付）の一部です。「売られているということは、食べて安全ということ」と強弁し、「安全基準を満たしているかどうかを調べる政府機関」以外の人々は、目の前にある食べ物の安全性を疑うべきではないと示唆する記事は、原発事故後の「風評被害」の論法の典型だと原山は述べます。

34　開沼博は、科学への信頼が失われた時代に生まれてきたのは「再『宗教』化」と呼べる社会現象（開沼、二〇一二年、一五〇頁）だと述べますが、このような議論は「科学でも分からないこと」についてまで科学が口出しすることを批判する「ポスト近代」的な態度を、「前近代的」と混同させています。

35　開沼、二〇一二年、一〇九―一一〇頁。

36　前掲書、三九頁。

37　Holloway, 2005, p.218.［ホロウェイ、二〇〇九年、四二一頁］

38　NHK―Eテレ『福島をずっと見ているTV』、二〇一二年十二月六日放映。

39　筆者によるインタビュー、二〇一三年一月三日。

40　エマニュエル・レヴィナス『全体性と無限』、熊野純彦訳、岩波書店、二〇〇五年、上巻三七八頁。

41　筆者によるインタビュー、二〇一二年十二月十七日。

42　筆者によるインタビュー、二〇一三年一月三日。

43　二〇一二年十二月二十三日、東京で開かれた「福島チャリティフェスティバル」のトークイベントにて、筆者の間接的観察。

44　筆者によるインタビュー、二〇一二年十二月十七日。

45 反原発デモにて、筆者によるインタビュー、二〇一四年三月九日。
46 Twitter, @kazsoul, 二〇一三年七月二日。
47 NPO法人「かまいしリンク」代表の遠藤ゆりえさんの発言だそうです。東京を訪れたとき、人々が東北の被災地のことを忘れていると感じショックを受けたものの、自分も阪神大震災や新潟中越地震のことをずっと覚えてはいなかった、だから「『忘れるな』とは、とても言えない」けども、「また思い出してくれれば」との言葉だったそうです。
48 Simon Critchley, *Infinitely demanding: Ethics of commitment, politics of resistance*. Verso, 2007, p.61.
49 Ibid, p.78.
50 脱原発杉並会議にて、筆者によるインタビュー、二〇一二年三月十五日。
51 筆者によるインタビュー、二〇一二年十二月十七日。
52 ホロウェイ、二〇〇九年、四一四頁。
53 筆者によるインタビュー、二〇一二年三月二十五日。
54 筆者によるインタビュー、二〇一四年四月十六日。
55 同右。
56 同右。
57 官邸前抗議にて、筆者によるインタビュー、二〇一四年二月二十一日。
58 同右。
59 官邸前抗議にて、筆者によるインタビュー、二〇一二年十一月三十日。
60 筆者によるインタビュー、二〇一四年五月十七日。
61 筆者によるインタビュー、二〇一二年十二月十七日。
62 筆者によるインタビュー、二〇一五年六月五日。

63 同右。
64 官邸前抗議にて、筆者によるインタビュー、二〇一二年十一月十六日。
65 官邸前抗議にて、筆者によるインタビュー、二〇一二年十二月十四日。
66 Twitter, @T_akagi, 二〇一二年六月二十二日、同七月十日。
67 筆者によるインタビュー、二〇一二年五月六日。
68 筆者によるインタビュー、二〇一二年四月五日。

第四章　路上の想像力（2）情動と反響

前章で見たのは、この不安の時代に、「私たち」はどのようにして政治的アクターとなるのかという問いでした。社会関係が複雑化し、自分の行動の帰結も見えにくくなった中で、それでも無力感に囚われることなく、政治的で倫理的な行動を取ることが可能なのか。3・11後の路上で見られたのは、日常世界の「亀裂」に真摯に向き合い、他者との出会いを通じて政治的な行動を形成する人々の姿でした。

このような反原発運動は、二〇一二年夏に最大の盛り上がりを見せましたが、同年末の総選挙で自民党政権が誕生し、ターニングポイントを迎えました。原発事故が起きてしまった以上、それを許した社会は変わらねばならないと信じて路上に立ち続ける人たちにとって、選挙結果は大きな衝撃でした。社会の大多数が、これまでの戦後社会の構造や価値観の維持を望んでいたことが分かったからです。

運動参加者と、その外の人々との間に横たわる深い溝は、参加者自身も感じていました。私の第二回目の調査は、運動の最高揚期の直後ともいえる二〇一二年十一月から実施されましたが、このときすでに複数の参加者から「運動の外側は別世界のようだ」という声が聞かれました。この年の六月以降、継続的に参加してきたという女性もこう語っています。

「同年代はみんな子育て、家庭と仕事でくたくた。ニュースも見る間もない、政治どころじゃないと言っている。もっと声を上げていいのに……」（L、四十代女性）[1]。

運動が大きく高揚する例外的時期を除けば、抗議の場は小さな孤島のようで、その外側にはこれまで通りの世界が広がっていました。

3・11後の反原発運動をめぐって頻繁に出された問いが、「反原発運動は日本社会を変えたのか」でした。哲学者の柄谷行人は、二〇一一年の素人の乱のデモに参加し、「デモをすることによって、日本の社会は、人がデモをする社会に変わる」[2]と宣言しています。確かに3・11後の反原発運動はデモに参加するハードルを下げ、主婦や会社員や学生がデモを主催することも珍しくなくなりました。ですが一方、3・11後の反原発運動が政策レベルで達成した成果は少なく、原発の再稼働は進められています。無力感や政治的無関心はいまも日本社会に染みわたっています。

果たしてこの運動は、日本社会を変えたのか。

私には、この問い自体が有意義なものとは思えません。なぜなら私は、原発事故が暴いた非対称な構造を、少しずつでも変えてゆきたいと願う反原発運動の参加者のひとりだからです。

「デモは社会を変えたのか」と運動の外側で客観的に問うのでなく、運動の内側で「私たちはどのように社会を変えてゆくことができるか」と問うてきたのです。

この章では、引き続き3・11後の反原発運動の実践に焦点を当てながら、この問いに向き合っていきたいと思います。それは、「社会を変えるために最も効果的な政治実践は何か」という答えを探すものではありません。第二章でジョン・ホロウェイの議論を通して見たように、この実践に一つの正しい答えはなく、「何百万もの実験があるだけ」[3]です。こうした実験が交錯する場としての、路上の政治を考えてゆきたいと思います。

「民主化」運動としての官邸前抗議

3・11後の反原発運動は、その特徴を一言で言い表せるようなものではありません。その中には、理想の社会像を明確にした左右のイデオロギー的運動もあります。ただし最も注目を浴びたのは、「原発いらない」という思いだけで参加した「普通」の人々の力でしょう。二〇一二年三月に始まった金曜夜の首相官邸前抗議は、同年夏の大飯原発再稼働をめぐり、それまでデモに参加したことがない「ノンポリ」の人々が大量に詰めかけました。

金曜官邸前抗議を主催する首都圏反原発連合（反原連）は当時、この抗議の目的を明確に説明しています。それは可能な限り多くの人々を官邸前に集め、原発反対の声を可視化して、「人数で政府にプレッシャーをかける」[4]ことです。そのため参加の敷居が低い、シンプルな抗議スタイルが採用されました。参加者の多くは官邸前、あるいは国会前の歩道に列をつくり、主催者に続いてコールを繰り返します。希望する人は、コールの合間に数分間のスピーチもできます。しかし声を出さずにただそこに「いる」だけでも大きな意味を持ちます。

抗議を成功させるには、「抗議活動が『一部のひとがやっている、特別なもの』というイメージのままではいられない」と反原連のミサオ・レッドウルフはいいます。だから官邸前抗議は「外出や会社帰りにも、ちょっと寄れる抗議」として用意されました。反原連の最優先事項は、安全に抗議できるスペースを維持すること。かつて過激化した学生運動によって人々に植え付けられた「デモ＝暴力的」というイメージを覆す必要があったためです。官邸前抗議は抵抗を、暴力も辞さない革命のイメージから切り離し、既存の政治制度を利用した非暴力的な改革として描きました。

私が最初に反原連メンバーにインタビューしたのは二〇一二年三月。官邸前抗議が始まる直前であり、彼らは別の左翼グループとともに震災一周年のデモと国会包囲のイベントを終えた直後でした。その際ミサオは、3・11前から反戦・憲法九条改正反対や沖縄基地問題など、マルチイシューで活動してきた左翼活動家たちの反原発運動と、自分たちの考える運動の間には溝があったと振り返りました。こうしたマルチイシューの活動家には、原発推進勢力と警察という「二つの敵」がいるように感じたといいます。一方で彼女たちは、現場の警察を敵と捉えるより、彼らと「できる限りうまくやりながら」運動を「安全により大きくしていくことを考えた方が得だ」と判断しました。[6]

当時の反原連のコアメンバーとして活動していた野間易通も、著書の中で、反原連は現場の警察を闘うべき権力と見なしていなかったと断言しています。

闘うべき相手は、警察の阻止線の向こう側にいる権力の実体そのもの、すなわち首相と内閣、そして彼らの原子力政策を担う官僚や原子力産業その他からなる「原子力ムラ」だった。[7]

警察とは、こうした敵との間に立ちふさがる柵のような存在で、柵は必ずしも壊す必要はないと野間は述べます。「現場の制服警官／機動隊は真正面からぶつかるべき相手ではなく、おだて、抱き込み、うまくかわす対象」[8]なのだと。

こうした反原連の方針は、二〇一二年六月二十九日、官邸前抗議がピークを迎えた際の対応に表れています。官邸前に押し寄せた想定外の数の人々は、次第に歩道からあふれ出し、車道を埋めました。先頭には規制線を越えて官邸に突入する機会をうかがう人々もおり、危険な混乱の兆しを見た主催者は、時間より早く抗議を切り上げて人々に撤収するよう訴えました。

規制線の突破を望んだ参加者たちは、この反原連の決断を、警察という「権力」の肩を持つものだとして批判しました。一方で反原連にとっての運動の成功は、原発再稼働に反対するたくさんの人々の怒りを、継続的に可視化することにかかっていました。そのためには警察との折衝や妥協を重ねてでも、路上抗議の場を維持することが重要です。平和的な運動を維持することで、権力側に路上抗議の場を禁じる口実を与えないという側面もありました[9]。

もし路上に生まれた亀裂が最大に開いたこの日、殺到したエネルギーを決壊させ、警察の阻止線を突破させていたらどうなったのか——。「アラブの春」と呼ばれた二〇一一年の中東民主化運動の、その後の各国での展開をみれば明らかなように、運動の軌跡はほとんど予測不可能です。刻々と変化する周囲の状況や、そこに関わる膨大な人々の願望や決断が絡まり合って、運動は展開してゆきます。あの日、エネルギーを決壊させていたら、より決定的な変化をもたらしたかもしれません。しかしそれによって多くの人が傷つき、人々は再びデモへの否定的イメージを刻み付けられてそこから遠ざかったかもしません。

運動の展開が予測できないとき、そこにあるのは正しい決断や間違った選択といったものではありません。私が考えたいのは、出来事に翻弄されながら導き出された選択がどのように現在を構成したか、そしてこの現在をどんな未来につないでゆけるかということです。結果的には官邸前抗議が参加者の安全を最優先にして維持されたことにより、デモは市民にとって身近なものとなり、参加者たちはノウハウを身に着け、自信を深めて、二〇一三年以降、新たな争点で次々と抗議が生まれることとなりました。官邸前抗議が始まったばかりのころ、ミサオ・レッドウルフはこう語っていました。

「政治参加のスタンダードをつくるつもりでやっている。政治はカッコ悪いという、特に若者の間の意識が変わってほしい。形骸化した民主主義、飴でつられるのでない、自分たちでつかんでいく一歩。そのためには意識の目覚めも大事だけど、実際に当事者意識を持って動いていくことが必要になってくる」[10]

この運動が新しいスタンダードをつくり出したことは間違いなく、人々の怒りの声を一つに束ね上げて支配的権力に対抗するという戦術は、この後の運動に引き継がれています。

二〇一三年以降は、反原連の中心メンバーだった野間の呼びかけで、反原発運動参加者がレイシズムへのカウンター行動にも参加を始め、在日韓国人に対しヘイトスピーチを行うデモに抗議を続けています。このアクションはレイシストに直接対峙する性質上、また、ヘイトスピーチを物理的に自分たちの声や身体で妨害するという抗議の目的上、敵対性は明確で、官邸前抗議よりはるかに緊張感に満ちています。しかし、自分の日常経験から湧き上がる情動を集団で表現することで、尊厳を否定する力（この場合は民族的マジョリティ性を盾にした人々）に対抗するという態度は同じです。

人々の声を軽視する権力に対して、日常経験から湧き上がる情動を表現することで対抗権力を打ち立てるという戦術は、第二章で見たシャンタル・ムフの、ヘゲモニーの多元化や左派ポピュリズムの提案と重なります。両方の思想の背景にあるのは、既存のリベラル思想に基づく政治の機能不全です。

これまでのリベラルのアプローチは、現代社会で普通の人たちの心に響かなくなっていると野間は語ります。

カウンター行動は、これまで上品な左派リベラルの人も試みてきました。ところが悲しいことに、『私たちはこのような排外主義を決して許すことはできません』といった理路整然とした口調では、たとえ正論でも人の心に響かない。

野間によれば、これまでのリベラル知識人の理性的な言説は、人々の日常の身体的経験からかけ離れたものでした。

公道で『朝鮮人は殺せ』『たたき出せ』と叫び続ける人々を目の前にして、冷静でいるほうがおかしい。むしろ『何言っているんだ、バカヤロー』と叫ぶのが正常な反応ではないか。[11]

彼らの怒りの表出は、ときにレイシストを激しく罵倒し、そのためレイシストと同じくらい暴力的だと批判されることもあります。しかし暴力性と攻撃性は異なります。野間の論理は明快です。レイシズムを高みから理性的に批判するのではなく、物理的に向き合って止めること。

カウンター側の素行の悪さを認め、それは「決して『善』ではない」[12]と認めたうえで、野間は主張します。「それでも『正義』は疑いの余地なく僕らの側にある」。

野間はいわゆるポストモダニズムを拒絶しますが、それはこの思想が、正義という概念そのものを脱構築してしまうからです。[13]野間は、正義が普遍的価値として存在していると確信しています。彼にとって現代社会の問題は、普遍的価値が無効になったことではなく、身体性を失ったことなのです。

目の前に不正義や不公正があるときにどうすべきか、このときぱっと動けるかどうかは訓練と練習による。反原発デモによって、自然とそういう訓練を積んだ個人が東京に数百人ほど生まれていたのである。[14]

正義や自由、民主主義、平和、人権といった抽象的な概念は、ともすれば脱身体化されがちです。しかしこうした価値観は、路上の経験によって再び身体化され、具体的な行動として形になります。

反レイシズム運動や、大学生有志を中心とした二〇一四年の特定秘密保護法への抗議、その後身とされるＳＥＡＬＤｓ（自由と民主主義のための学生緊急行動）が呼びかけた集団的自衛権行使容認に対する二〇一五年の抗議運動は、いずれも反原発運動で「訓練された」市民たちが生み出した潮流でした。

ポピュリズム戦略と副作用

官邸前抗議や反レイシズム運動、安倍政権の一連の政策に反対する路上の抗議運動の特徴の一つは、戦略的な多数派志向にあります。普通の市民の情動を増幅させ、対抗ヘゲモニーを形成する運動です。政治学者でアクティビストの高橋若木はその意図を次のように説明します。

私たちは、自らを社会の『内側』をつくっている市民であり、主権者という強者だと思っています。狭量で短見で、主権者を見下すような無礼な政治家は、叱らないといけない。〔……〕すでにくすぶっている具体的な怒りや違和感があるのですから、それを社会に表出させることが必要です。そのためには、民主的な政治プロセスへの侮蔑を隠さない政治家は『敵』として指をさし、『辞めろ』と言う。民主主義は正しい『指さし』によって求心力を回復します。[15]

政治家の決断が主権者である民衆の意思と乖離しているという主張は、政治権力の正当性を問います。そして自分たちの主張こそが民衆を代表する、より正当な主張であると証明しようとするとき、こうした運動は多数性を志向します。多数性こそ彼らを「強者」にするからです。

この多数派志向は、二〇一二年に反原発運動が盛り上がったころから、民衆の中の少数派の声を圧殺すると批判を浴びました。例えば二〇一二年七月の反原発集会で、ひとりのゲストスピーカーが、「今日ここに来ているのが、国民であり市民」と発言したことに、産経新聞のコラムはこう噛みつきました。


『小さな声』でも、原発擁護を口にすれば国民とは認められない。そんな日が来るとしたら、放射能より恐ろしい。[16]

原発事故の前、人々は原発に不安を感じていても、原発は安全という支配的言説の前に沈黙していました。原発事故の後、人々は不安に駆られつつも、震災後の自粛ムードの中で声を上げることをためらう「弱い」存在でした。そうした人々が、混乱したまま路上に出て叫び、同じように叫ぶ人たちに勇気をもらい、仲間を増やし、最終的にメディアを動かして巨大なうねりをつくり、市民の行動が社会を変えうると自信を得た瞬間に、少数派を抑圧する「権力」とみなされるというのはずいぶんと皮肉です。

ただ、対抗ヘゲモニーを形成する多数性志向の運動には、確かに懸念もあります。先に述べたように、人々の情動をもとにした対抗ヘゲモニーの構築は、私が二章で批判的に議論したムフの主張に近いものです。ムフがかつて提案した「闘技型民主主義」においては、ヘゲモニーの正当性の根拠となるのは、決められたアリーナでの「闘技」に勝つことでした。ですが、彼女が近著で主張する左派ポピュリズムや、3・11後の多数派志向の市民運動において、正当性を担保するのは、ごくシンプルに「数」です。

ポピュリズムそのものを否定的に捉えるべきではないというムフの意見には、私も賛成です。持てる者がその既得権益を維持し、持たざる者を犠牲にする形でそれを増強する仕組みがこれほど堅固に確立した社会で、市民の抵抗手段はさほど多くありません。特に既存の代表制政治の枠組みで抵抗を考えるなら、ポピュリズム戦略は有効な手段です。しかしそこには副作用もあります。

権力が「上から」主導するポピュリズムであろうと、現在の権力に対抗する形で「下から」形成されるポピュリズムであろうと、民族的アイデンティティを基にした右派ポピュリズムであろうと、普遍的価値に根差した左派ポピュリズムであろうと、それは多数性志向の政治です。多数性に正当性を見出す限り、意思決定の場で異端の声をかき消してしまう懸念は拭えません。

多数派志向には、反原発運動の内部でも異論がありました。アクティビストの松永健吾は当時、原発をめぐる議論が、こうしたヘゲモニー闘争の文脈で主張のぶつけ合いになっていることに、こう違和感を表しました。

「いまの日本は、デモに参加している人は自分たちの主張だけをして、それ以外の人は全然無関心で、原発推進の利益団体は、自分たちの利益に基づいてロビー活動を行なっている。それってお互いが話し合いのテーブルについていない状態だと思う」[17]

「そのままの状況では何も問題が解決されない」と考えた松永は、コールの反復が多く対話の場が少ない官邸前抗議の後に、参加者が公園に集まって議論できる場を企画しました。この場には最大で三十人程度が参加し、静かな環境の中で輪になって、ひとりの話を残りの人がじっくり聞き合うものでした。その雰囲気を松永は「一体感があって居心地がよかった」と振り返ります。そこでは、シュプレヒコールばかりを繰り返す官邸前抗議への違和感が表明されることもあり、あるいは「多数派にならないと言いたいことを言えない」日本社会への違和感、生きづらさの表明もあったといいます。

アクティビストの植松青児は官邸前抗議の欠点の一つを、その管理主義的な側面に見ていました。参加者とともに運動の練り直しを行うような場がないため、「参加者の意識とずれが生じる」[18]というのです。実際に、二〇一二年六月末の運動がピークに達したときに現場にいた参加者のひとりは、主催者が撤収を呼びかけたことに疑問を持ったと後に語っています。

「何時に帰ってくれと言われるのには違和感がある。みなさんどうですか、と聞いてほしい。みんな自分の意思で行動することにプライドを持っているのだから、それを尊重してほしい」（A、三十代女性）[19]

官邸前抗議の管理主義的な側面とともに、植松が指摘したのがやはり、「多数派志向」的な運動のもつ権力性でした。反原連のコアメンバーが官邸前で声を張り上げてコールするのは、「強い主体として自分をそこに表わそうとする」からだと植松は指摘します。まだ「力対力の政治運動の認識にこだわっている」のだと。その上で、植松自身は多数派志向の運動とは別の道を模索していました。

「もっと力なき人間の弱い声、弱い人間の運動っていうものに徹底することもできるはず。徹底的に弱い人間であること、弱いけど倫理は捨てないというあり方に徹することによる敷居の下げ方も本当はあると思う」[20]

分かりやすく単純化された要求を権力者に突きつける政治運動が必要としても、その単純化や平板化によって、歪められてしまうものがある。その自覚を持たねばならないと植松は考えました。だからこそ植松自身は、権力によって言葉を奪われた人々の声を反映するためのサイレントデモや、分かりやすい言葉を入れずに「混乱したまま街を歩く」デモなどを主催していました。新自由主義社会でノイズとされているものを、都市に侵入させること。それが植松にとってのデモであり抵抗の試みです。[21]

これらの批判が示すように、多数派志向の戦術の中では、運動を通じて参加者が獲得した「力」が、多様な声や混乱した声、声なき声をかき消す権力として働く可能性はあります。多数派であることを正当性に結びつける試みは、欠陥のある現状の代表制民主主義をなぞっているにすぎず、ひずみを生んでいる支配構造そのものを問い直すことはできません。

一方で多数性は力の源泉でもあります。元々は官邸前抗議自体が、混乱した声に力を与えたきっかけとなった運動の一つです。原発事故の後、混乱して路上に出た人々は、同じ思いを抱えた人が大勢いることに励まされ、「原発いらない」と声を上げる勇気を得たのです。

現状に「ノー」を突き付けるのは困難なことです。現代社会で孤立し、不安の中で暮らす人々が、求められる役割から逃避するのは困難なことです。第一章と第二章で見たように、過労死寸前まで追い詰められているとしても、「東京の女の子」が、仕事を休んで公園に行くのは難しいことです。こうした状況だから、官邸前抗議は大きな意味を持ちました。運動のデザインも維持も主催者がやってくれて、参加者はその場に身体を運ぶだけという官邸前抗議は、日常の延長として、なじみある秩序をほとんど崩さない形で参加できる抗議だからです。多数派志向や管理主義という戦略が、多くの「普通」の人――現代社会のシステムのひずみを感じながらも、そのシステムの規範に従い生きてきた人々――が声を上げることを可能にしたともいえるのです。そしてこの最初の小さな亀裂を通じて、これまで見えていなかった、あるいは見て見ぬふりをしてきた他者を発見し、新たな行動に向かった人も多くいます。

政治領域の拡大

この章の最初に述べたように、3・11後の反原発運動には様々な潮流があり、その中には民族主義的イデオロギーを掲げた団体もあれば、それまで護憲・平和運動に関わっていた人たちもおり、政党の関与もあり、労働組合など既存の集合的アイデンティティを単位とした活動もあります。

私がその中でも、これまであまり政治に関わってこなかった人々が、個々の情動に動かされて取ってきた行動の数々に注目したのは、情動こそ、最も絶望的な状況でも生みだされる運動のエネルギーだと思ったからです。抵抗について考えるとき、私たちは絶望の底まで下りねばなりません。辿り着くべきゴールや、それを明言する指導者、出発点としてのアイデンティティ、それに基づく利益を追求する合理的プロセス——そういった、政治的な行動を取るために必要と思われる資源や時間的・金銭的余裕などを持たないままに、待ったなしの生存の闘いを強いられる身体に宿る、最低限のエネルギーが情動です。

ジョン・ホロウェイは、こうした抵抗は、現状を否定する「叫び」に始まるといいます。しかし3・11後の市民運動を見ると、このように情動をエネルギーにした抵抗には、大きく二つの流れがあることに気付きます。一つは官邸前抗議のような、情動を束ねて対抗ヘゲモニーを形成する運動であり、既存の権力に代わる、より正当な権力を打ち立てることを目的とします。

こちらを情動の表出に始まるメジャー志向（多数派志向）の抵抗運動とするなら、もう一つは、同じ情動の表出に始まるマイナー志向の抵抗運動です。「マクロ・ポリティクス」に対する「ミクロ・ポリティクス」の抵抗とも表現できます。前者が既存の政治機関を通じた制度的な改革であるのに対し、後者はこれまでの価値観を脱して、「新しい存在様式や関係性を創造すること」と定義できます。[22] 3・11後の反原発運動に、こうしたミクロ・ポリティクスが含まれているのは不思議ではありません。首都圏の人々は、これまでの自分たちの生活様式の中に、原発の存在を許してきた価値観や権力関係が組み込まれていたことを発見し、それとは別の存在様式や関係性を模索し始めたのです。

このミクロ・ポリティクスの傾向は、杉並区の住民らが集まった「脱原発杉並」の活動によく表れています。脱原発杉並は二〇一二年を通じて、地元でのデモやイベントを実施してきましたが、これを企画する会議は誰もが参加でき、ライブ配信もされていました。私も何度も足を運びましたが、参加者はこの会議を、誇りを込めて「カオス」と呼んでいました。誰かの熱意のこもった提案や意見を聞くたびに、みなが自分の意見を翻すため、議論は果てしなく蛇行するのです。人々を動かすのは前例でも道理でも合理性でもなく、自分はこうしたいという情熱でした。これは同じ地域を拠点とする「素人の乱」のアナキスト的な雰囲気を受け継いでおり、実際に参加者も重複がありました。

脱原発杉並に集う人々は自分たちを「有象無象」と表現していました。この言葉を最初に脱原発杉並に対して使ったのは、参加者でもあった翻訳家の池田香代子で、ネグリとハートの「マルチチュード」の日本語訳として紹介されたものでした。池田はその意図をこう語っています。

「(脱原発杉並は) いつまでも固定化しない、組織化しない。何でもありの感じがマルチチュード。組織体がないから、排除もしない。排除の論理とは真逆の場。脱原発杉並のデモは疎外感のないデモと参加者が言っていたけれど、その通りだと思う」[23]

日本語の「有象無象」には、雑多で取るに足らないもの、数は多いがつまらないものという蔑みが込められています。しかし脱原発杉並に集う人々が、誇りを持って自分たちを有象無象というとき、それは価値の低いものではなく、予測不能の潜在性を意味します。

ネグリとハートは、マルチチュードを「一群の特異性からなる」と説明します。特異性とは「その差異が決して同じものに還元できない社会的主体、差異であり続ける差異」[24]です。そしてマルチチュードの構成や行動は、「同一性や統一性（ましてや無差異性）ではなく、それが共有しているものにもとづいている」と彼らは主張します。[25]

脱原発杉並の会議やデモは、確かに同一性や統一性とは無縁で、左派に限らず、反原発で一致した右派も参加していました。会議の司会を務めていた何森直は、当時こう語っていました。「どんな人でも参加していいのは当たり前。地域で、市民で、なんていう言葉を吐くのなら、選別する権限がない。（脱原発杉並は）入れ物でしかない。薄い皮のハードウェアでしかない。しかも適当に名前を付けただけ。固形じゃない、Fluid（流動的）だよね」[26]

司会として、何森は議論が自分の意思と違う方向に展開しても口を挟まず、参加者の議論の中に「変なうねりができて、一つの意思になるのを目撃する」ことを楽しんでいたと語ります。[27]「カオス」な会議は、たくさんの情熱の渦をつくる場で、そこから産出されるものは予測不可能でした。

一つのスペースに声を集め、それを増幅させることで政府に圧力をかける官邸前抗議と異なり、脱原発杉並のスペースは、対話を通じてともに考え、新しい生き方を実験する場です。脱原発杉並で生まれたアイデアに「デモ割」があります。地元でデモを行う際、商店街の店舗やバー、飲食店などに賛同を呼び掛け、デモ参加者に割引サービスをしてもらうのです。元々は、デモ参加者にも地元商店街にも有益になるようにと企画されました。けれどもそれは、お金の使い道を自分たちの手に取り戻すことでもありました。自分たちのお金をチェーン店ではなく、地元の店舗で使うような仕組みを用意することは、支配的な経済システムへの抵抗を形づくる。そのような思いも「デモ割」に込められています。

このような脱原発杉並の活動は、情動をエネルギーにして生まれた運動のうち、「マイナー志向」の流れを形成します。ここでいうマイナー性とは、絶対数が少ないことというより、権力からの距離が遠いことというドゥルーズとガタリの議論を参照しています。[28] そしてマイナー志向とは、彼らが「マイノリティになること」という言葉で表現するものです。それは無力さの肯定ではなく、権力から遠ざかること——一方的に基準を決め、存在物の価値のあるなしを定める力から遠ざかることであり、標準から逸脱したもの、無為だとみなされたものの力を肯定し、そこから創造することです。

二つの「器」

ここまで、同じ情動をエネルギーにした3・11後のアクションにも、そのエネルギーを向ける方向に違いがあり、そこに二つの異なる試みがあると論じてきました。一つは情動を統一的な政治的要求に流し込む試み。その要求をもとに強力な対抗権力を形成して、議会や政府に圧力をかけるマジョリティ志向の抵抗の試みです。もう一つは、情動を新たな出会いや連帯や創造に向ける試み。現在のシステムによって軽んじられたものの力を肯定し、それらとつながることで、新たな価値を生み出そうとするマイノリティ志向の抵抗の試みです。国政の中枢で声をそろえる官邸前抗議は前者であり、自分たちの生活する地元でユーモラスなデモをする脱原発杉並のような活動は後者に当たります。

興味深いのは、この二つの性格の違うアクションの主催者が、ともに自分たちの活動を「器」と表現していたことです。たくさんの人々が集う「器」を準備するのが自分たちの役目だと彼らは考えていました。

官邸前抗議について、野間易通は「老人から家族連れまで誰もが参加できる反原発運動の器であり、その器は周到にデザインされたものだった」と解説しています。[29]主催者の反原連は、こうした器を維持するための実務集団であり、その仕事は機材準備や当日の誘導など、「抗議やデモを効果的に行なうために最適な状況をつくること」[30]であって、社会の進む方向を指し示すようなものではないと。

官邸前抗議の「器」は、多様な人々を中に含むものの、器としての表現は一貫し、常識の範囲内であることが求められます。そうすることで、これまでの政治的枠組みではまともに意思が反映されてこなかった「普通の市民」の声が、政治家たちが考慮すべき正当な要求として認められます。そのためには混沌とした人々の情動を適切に管理し、現在の政治システムの中で受容されやすい、一つの色をつくらなければなりません。最初から運動の方向性を決めることはないとしても、運動の反響を見ながら、最もふさわしい方向性を見出す管理者が必要になります。

反原連と脱原発杉並の両方でスタッフをしていた中村由美は、こうした官邸前抗議を「固い」器とする一方で、脱原発杉並を「柔らかい」器として、どちらも必要なものだと語っています。[31] 官邸前抗議が、既存の代表制民主主義システムの中で対抗ヘゲモニーを構築する硬質の器ならば、脱原発杉並のカオス的な会議はゆるくて柔らかいのです。脱原発杉並のような器に必要なのは、「脱原発したい人間と、その人間が持ってくるエネルギーと、何をやりたいかっていうプランだけ」。そこは「仲間を見つけ、議論する場所」だと言います。[32]

「杉並に住んで生活しながら脱原発に関わるってことは、どこで買い物するとか、どこでお金を落とすとか暮らしを見つめ直すこと。脱原発というくくりはあるが、実際には生活を見つめ直して、つながっていくことで地域から変えていくこと。でも官邸前に私の暮らしはない」[33]

私がこの「運動＝器」という考え方を初めて聞いたのは、二〇一二年二月の脱原発杉並の会議でした。初めてのカーニバル的なデモを終えた後、新しいアクションを計画しているとき、司会の何森直は定義不可能な「脱原発杉並」の性質に触れながら、今後について以下のように語りました。

「一つ考えるのが、この会……会じゃないんですよね、これは。有象無象の……何なんですかね（会場笑い）。要するに入れ物でしかないと思う。この入れ物がどこまで一つの意思を持って、政治に対峙していったりできるか。〔……〕いままでもそうですが、言いたいこと言って、時間かかっても決めてきた、それが杉並の民主主義なわけだから。反対意見もあるかもしれないし、嫌だと思う人もいるかもしれない。すべての意見を聞きながらやるっていうのでどうでしょう」[34]

別のメンバーは、このように語っています。

「杉並のいいところは雑居性。あれやりたい、これやりたいと言うと、言いだしっぺがやらされる。そうして、次々に無秩序に増築されて、それを定期的に統制してゆくような形。〔筆者――誰が統制する?〕みんなでやる」（G、四十代男性[35]）

彼の言葉を聞きながら、私はドゥルーズとガタリの「リゾーム」（地下茎）という概念を思い出しました。彼らの「リゾーム」の概念は、樹木の階層的な秩序と対置して、基点や終点もなく、中心が存在しない水平的なネットワークとして説明されます。

樹木は動詞「である」を押しつけるが、リゾームは接続詞「と……と……と……」を生地としている。この接続詞には動詞「である」をゆさぶり根こぎにする十分な力がある。どこへ行くのか、どこから出発するのか、結局のところ何が言いたいのか、といった問いは無用である。[36]

樹木状の秩序が、一つの定義へと収束してゆくのと対照的に、リゾーム的な秩序とは常に新しい関係性、配置を探りながら変化してゆくものです。二〇一二年二月の脱原発杉並の初回のデモの呼び掛け文は、「有象無象」のリゾーム的傾向を表しています。

われら杉並の「有象無象」、原発のない社会をめざし、しぶとく、しつこく、むやみやたらと手を結んで、訴えつづけていきます！[37]

官邸前抗議も、脱原発杉並のアクションも、誰でも参加できる器です。人々がそれぞれの情動を持って参加し、器の中で力を蓄えます。官邸前抗議では、人々は器の中で自分の色を失うことによって力を得ます。巨大な一色のうねりをつくることで、「普通」の人々の声が官邸や国会に届きます。こうした統一的な声は官邸前抗議においては「再稼働反対」などの具体的要求でしたが、のちの運動では、正義や平和や民主主義などの、より抽象化されたリベラルの政治概念とも結びついています。この器は「正しさ」を表象する器であり、正当性に依拠する政治に関わっています。

これに対して脱原発杉並は、いまとは違うものを創造する器です。こうあるべきだという正しさの代わりに、こうしたいという情熱がエネルギー源です。このような柔らかい器は多様性や偶然性を歓迎します。それは中村由美いわく、そこに集う人たちが「色を上から重ねていく」[38]という器。そこでは人々がそれぞれの色を持ったまま作用しあうからこそ、力を持ちます。こうした器の中では、人々は合意に達する必要はありません。何をすべきかについて合意を目指すより、各参加者が自分たちのやりたいことを表明し、情熱を共有する人がそれぞれ行動します。

マイナー志向の政治の特徴

メジャー志向の政治と同様に、こうしたマイナー志向の政治にも欠点はあります。最もよく聞かれる欠点は、持続性がないことでしょう。「柔らかい」器に恒常的な構造はありません。そもそもデモは瞬発力であり持続力は問えないと、素人の乱の松本哉は語っています。素人の乱は、二〇一一年の反原発運動に大きな影響力を与えたものの、その年のうちに大きなデモの主催を中断しています。松本は二〇一二年のインタビューでこのように語りました。

「デモの効果が薄れてきたと思うんです。関心ある人とない人の二極化が進んでいった。デモだけじゃ変わらないなと感じたんですよ。違うやりかたを考えないと、二つの分かれたものを克服できない」[39]

また反原発デモの主催を下りたもう一つの理由として、松本は自分たちが「全体を代表しているみたいな雰囲気になってきた」ことを挙げます。松本がこだわるのは、自分の声で話すこと、自分たちでやること、そしてそうした場所を日常につくってゆくことです。

「場所がないと何も始まらないっていうか。デモにしても、反乱を起こして、週末騒いで文句言ったとしても、平日に悪い会社で真面目に働いていたら意味ないじゃないですか。反乱を起こすところで知り合いができても、そこでしか会わなかったら意味ないと思うんですよ。日常的に、あそこに行けば何かあるとか誰かに会えるとか、そういう場所が永続的に続いた上での反乱でないと意味がないと思ったんです」[40]

脱原発杉並も似た経路を辿ります。私の二度目のフィールドワークは、二〇一二年秋から二〇一三年初頭に実施されましたが、脱原発杉並の最初のデモから一年も経っていないこの時期、すでに多くのメンバーは脱原発杉並としての活動より、他の形の活動に重きを置いていました。官邸前抗議を手伝う人、別のテーマの運動に参加している人、独自に活動している人……その関わり方は様々でした。

中村みずきは独自に展示会やフリーマーケット、映画上映会などを開いていました。脱原発杉並という、個性的なローカルデモの主催者として注目を集めた「器」を利用して活動を続けようとするメンバーもいた一方、中村はそうした方針に違和感を表しました。

「こういう活動は脱原発杉並らしくないとか、脱原発杉並はこうじゃないといけないんじゃないかとか、そういう話をする時点で、すでにブランド化している。そういうのじゃないんじゃないの、って。最初はみんなの『これ絶対許せない』『文句言わないといけない』と湧き上がるものがあって、それが噴き出した。それを定期的につくるのは難しい」[41]

「らしさ」を見出し、ブランド化すれば、変化する状況に対応できなくなります。松本と同様、デモの参加者は固定化されていると中村も考えていました。二〇一二年末の衆議院選で自民党が勝利した直後だったこの時期、「私たちは本当に少数派だと自覚した」といいます。

「思いをアクションに変える人が圧倒的に少ない気がして、デモだけじゃ駄目なんだなあと思って。自分の近所のカフェでイベントをやって、コーヒーやビールを飲みながら気軽に参加できる方が、もっといろんな人とつながれるんじゃないかなって」[42]

「はっきりと言えない、いろんな気持ちを持っている人とつながるのが大事」と中村は考えていました。表出された情動を政治的要求に変える装置としてデモが必要であると同時に、そこまでもいかない個々人の曖昧な気持ちを、まず外に向けて表現する場が必要だというのです。

一つの形に固執することなく、新しいものとつながり新たな配置を探ってゆく人々の存在は、運動にダイナミズムを与えます。官邸前抗議の短所としても語られる管理主義が息の長いアクションを可能にしているように、マイナー志向の政治の短所とされるものが、アクションの多様化を可能にします。それは短所と長所が表裏一体であることを示唆すると同時に、3・11後の反原発運動の中で、「メジャー志向」と「マイナー志向」のそれぞれの長所が、それぞれの短所を補っているようにも見えました。

マイナー志向の政治と新自由主義

正当性よりも情熱に基づく創造を重視し、権力から逃れる「マイナー志向」の政治には、別の批判もあります。特に運動体としての器の輪郭すら描くことのできない「素人の乱」については、第二章で論じたアナキスト的な「逃走の政治」と同じ批判が出てくるでしょう。「逃走の政治」に向けられる根源的な批判は、それは自らが批判しているはずの資本主義とベクトルが同じだということです。国家権力などによる規制から個人の欲望を解放し、創造の原資とする意図は、新自由主義とも重なります。前章の松本の言葉にあるように、あらゆる存在物の価値を市場原理で決める社会システムに抵抗するために、松本はまだ見ぬものとの出会いの場、変化を生み出す場をつくろうとしています。ですが、そうして生み出されたものにまた市場価値が定められる――逃走したものが捕獲され、そこからさらに欲望が逃走し、それが新たな市場価値に取り込まれる――というメカニズムは、資本主義社会の発展の原動力でもあるのです。

ただし、ここで争点にすべきは方向性の類似ではなく、個人の欲望を運動の原動力にすることの倫理性です。評論家の絓秀実は、素人の乱の松本のアナーキーさの前提にあるのは「自己責任」論だと指摘します。また、素人の乱を含めた3・11後の反原発運動は、日本の原発を止めることに熱心な一方、第三世界に原発を輸出することには比較的無関心であるとして、絓は以下のように批判します。「日本の原発（だけ）がなくなればよいというのは、端的にナショナリズムでしかない」[43]。それは結局、グローバル資本主義がもたらした分断に加担していると絓は指摘します。

この絓の指摘には疑問が残ります。そもそも素人の乱は「ナショナリズム」なのでしょうか。松本の発言を追う限り、むしろローカリズムといった方が近いと思いますが、いずれにせよ、それは彼らが自分の国や自らのコミュニティの内部に閉じていて、外部に興味を持っていないことを意味しません。個人主義的に、そしてローカルに行動する松本の意識は、常にその外部の他者に向けられていることは、これまで見てきた通りです。

私は、個人の欲望をもとにした運動の倫理性の有無を分けるのは、個の捉え方であると考えます。個人を揺らぎのないもの、そして自律的なものと考えるのか、他者の侵食を受けた、あるいは他者と絡まり合ったものとして考えるのか。

明確な欲望を持ち、自分の利益を見通している個々人が、それを合理的な市場原理の中で追求する――そこに生まれるエネルギーを肯定するのが、新自由主義的資本主義の価値観です。このような個人や、市場の秩序を想定するとき、それは外部から影響を受けない「閉じたシステム」を前提にしています。

しかしこの前提は災厄によって覆されます。市場はオープンシステムの一部である、と政治学者ウィリアム・コノリーは強調します。多岐にわたる予測できない要素が、市場システムと認識されているものの外から影響を与えるため、それは新自由主義者が信じているよりずっと脆弱であるというのがコノリーの主張です。[44]独立した閉鎖系システムがあり、その中に独立した個体としての人間がアクターとして存在している、というような秩序はありません。自分も他者も他の生命体も非生命物質も巻き込んだ、複雑なネットワークがあるだけです。

他の存在と明確に分断された個体同士が、閉鎖系システムの中で相互作用しているのであれば、そのシステムの秩序を理解し、より自分に都合のよい状態に事物を配置したいという欲求が働くでしょう。そのように自助努力で自分の生を充たすべきだという自己責任の価値観も広く受け入れられるかもしれません。ですが、そういう自己完結したシステムがないのなら、この自助努力の限界は明らかでしょう。

一つの生は、いつも個人の理解を超えて展開します。だからこそ原発事故を目撃した後、人々は路上に出たのです。そこで出会った他者に道を尋ねるために。なじみ深いシステムから一歩を踏み出し、それまで関心を向けてこなかった人たちと出会い、その出会いを通じて、これまでと異なる世界の配置をつくりたいという欲求を持つとき、倫理的な政治の主体が生まれます。彼らは新自由主義的資本主義の価値観とは異なる形で「欲望の政治」に関わってゆくことなります。

資本主義の起業家が、あふれ出す瞬間を待ち望むのは、それを囲い込んで、私有化して、最終的には利用するためだ。けれども私たちの真意は開くことにある。他のものも入って来られるように。そして、それがどのように他のものと共鳴し合って、私たちを別の世界へ、別の存在の仕方へと放り込んでくれるかを確かめるために。[45]

ポストアナキズムとその展開

素人の乱に最も強く表れている、「不確実な個々人の情動に基づくマイナー志向の政治」は、ポストアナキズム（あるいはネオアナキズム）と呼ばれるものとして、近年の政治思想の中で体系化されています。

これは当然ながら政治的リベラリズムとは明確に異なりますし、先に書いた通り、ネオリベラリズムとも異なります。古典的アナキズムとも違いますし、いわゆる「ポストモダン」的な冷笑主義とも違います。ポストアナキズムをこれらと分ける主な特徴を挙げるなら、以下のようなものになるでしょう。まず権力を単純に（国家）機関と結びつけないこと。次に、個人を確固たる主体と考えないこと。三つ目に普遍的なゴールを設定して目指さないこと。――そして、この三つを受け入れたうえで、それでも社会に関与を続けることです。

一つ目の権力の捉え方については、第二章でも述べた通りです。現代社会で一番厄介な権力作用は、政治機関から私たちに直接的に行使されるものではなく、私たち自身が内在化している知識や価値観を通じて、私たち自身を縛るものです。それは私たちが何者かを定義するだけでなく、私たちが何を欲するか、何になることを欲するかといった欲望の流れを内側から制御します。伝統的なアナキズムが国家権力からの解放を訴えるのに対し、ポストアナキズムの「ポスト」たるゆえんの一つは、こうした目に見えない権力作用から逃走を試みる点にあります。[46]

二点目については、自己や他者の利益に基づき合理的に行動するという、近代主義的個人観への批判と捉えることができます。古典的アナキズムとのもう一つの分岐点でもあり、ポストアナキストたちが「アナーキーな主体（性）」と呼ぶものです。[47] 古典的アナキズムでは、何がしかの本質（相互扶助的、合理的、道徳的な本性、あるいは真の欲望など）を持った個人を国家権力から解放すれば、その本質にのっとり、人々は調和した社会関係を築くことができると想定されました。しかし自分を取り巻く利害関係が見えにくいだけでなく、自分が何かを欲するのはそれが好きだからなのか、それを手にしていないと世間体が悪いからなのかすらも区別できない社会では、一体何から何を解放すれば生の苦痛から逃れられるのか定かではありません。ポストアナキズムは、このような不確かで非一貫的で、常に他者からの影響を受けている存在が持つ力を信頼します。こうした個人が、自分の中に取り込まれて内側から作用している権力に抵抗するとは、どういうことなのでしょうか。それは第二章のホロウェイの言葉を借りれば、「自己分裂し、自己疎外され、分裂症的」な存在が、「私たちを引き裂いている混乱と矛盾から出発」[48]することであり、「矛盾を乗り越えようとし、われわれみずからの共犯関係に反逆」することだといえます。[49]

三つ目の「普遍的なゴールを設定して目指さないこと」についてはどうでしょうか。これについては、素人の乱の松本の言葉が参考になります。理想の社会はどんなものかと尋ねたときの松本の返答は、私にとって新鮮なものでした。

「それ、よく聞かれるんですけどね。到達点はどの辺なんでしょう、とか。そんな話できっこない。ただ漠然といえば、いろんな人がいるのがいいと思うんですよ。いまの資本主義の世の中は嫌だし、無くなってほしいと思うけど、それは資本主義が人を画一化するというか、フィルターにかけるじゃないですか。金になるのかとか、役に立つのかとか。それじゃつまらない。だから訳の分からない奴らが大量にいて、いろんな場所があって、いろんな所に行くたびに驚ける自分がいたりする、そういう驚きを常に持てる社会になったら面白いんじゃないかな」[50]

松本は到達すべきゴールを持っていませんが、根無し草にも見えません。彼には足場があります。それは自分に驚きを与える何かと出会う「場所」です。そうした場所は、彼の生に安定は与えませんが、そこでの出会いは新たな行動を起こすための情熱を与えます。

そうした行動について、松本は「革命後の世界を先につくる」という言い方をしますが、それがどんな世界なのか、何革命なのかは、そもそも知らないと語ります。

「いま、いろんなものに不満があって世の中が窮屈で、それに対して文句を言うわけじゃないですか。でもその先をどれだけ実践するのかが大事だと思うんです。窮屈だったら楽しい世界を一瞬でもつくっちゃったほうがいい。昔の運動は、白か黒かみたいに、世の中全部ひっくり返してすばらしい世界をつくるという発想だった。でもそれでは、いつまで経っても来ない。できる部分を少しでもやって広げていく運動が一番手っ取り早い。この高円寺は、面白い奴らが面白い店をつくっている。いろんな人が昼間から遊びに来る環境をつくったら、限りなく楽しい世界に近づいている。だからどんどん先取りして思いついたことをやっていく。現実にいろんな場所をつくってイベントをやったり、路上に解放区をつくったりしたら、(受け手も)これをやりたいとイメージがわく。先につくっちゃって二択を迫る感じで世の中を変えていく方がいいと思います」[51]

これは「予示的政治」ともいわれるものです。来るべき社会の設計図を緻密に考え、いまある政治システムを通じて、その社会を実現しようとするよりも、とにかく自分が心地よい関係性や空間を自分の周りにつくってしまうというものです。

一つの正しい普遍的価値へ収束することより、情動の拡散を重視する考え方は、ドゥルーズとガタリの「リゾーム」概念にも通じます。[52]樹木状の階層秩序に対するこの「リゾーム」は、社会運動との関連で語られる場合、中心的な指令を持たない組織のアナロジーで語られることが多い概念です。ただし、ここで私が考えたいのは組織論ではなく、個々人の態度や生き方としての「リゾーム思考」です。物事の本質（基点）を見出そうとしたり、一つの到達点（終点）を定めたりせず、つねに変化する世界の中で、その時々に応じた関係性や身体の動かし方を、実験しながら探っていく態度です。

一方、基点や終点を定めないリゾーム思考にしろ、アナーキーな主体性にしろ、一見すると、非政治的で非倫理的な概念と受け取られかねません。この二つはそもそも、「大きな物語（メタナラティブ）」の喪失と、合理的な近代的主体の喪失という「ポストモダン」的状況の反映に過ぎず、むしろ政治学ではそれこそがニヒリズムの温床と考えられてきました。

では、3・11後のアクティビズムを、「ポストモダン」的状況下の冷笑主義から隔てるものがあるとすれば、それは何なのでしょうか。私は、身体性を意識するかしないかの違いだと考えます。無力感に満たされた身体が政治的な主体へと変わっていったのは、亀裂から制御できない動揺が自分に押し寄せ、その混乱から何とかして抜け出そうと必死にもがく過程においてでした。3・11後に少なからぬ人々が自分の身体を路上に運び、他者とともに声を上げ、そこで得た様々な情動を自分の身体に刻みながら、自分がどのように生きていきたいか、他者とどのような関係を築いてゆきたいかを考える過程で、政治的な主体が生まれたのです。

身体性の知

ポストアナキズムに寄せられる（であろう）最後の批判は、このようなタイプの政治実践は誰にでもできるわけではないということです。これも第二章でシチュアシオニストに向けられた批判ですが、素人の乱についても同じことが言われています。例えば絓秀実は素人の乱の抵抗について、彼らの「やんちゃ」は「知的・経済的な余裕でしかないということを否定できない」と書いています。[53]

確かに、大卒でリサイクルショップ経営者という松本を含め、アナーキーな運動に関わる人々の多くが、自分の考えを発信する能力やプラットフォームを持ち合わせた人々であることは否めません。素人の乱の拠点である高円寺は、もともとサブカルチャーが盛んな地でもありました。過疎化した地方のワーキングプア、新卒で「ブラック」な企業に就職した若者、個性を否定され自分には価値がないと感じている人たちに対し、いきなり彼らと同じように支配的権力から逃走しろと言っても無理な話でしょう。正直言えば私自身も、松本にインタビューをしながら、その語りの内容にワクワクするのと同時に、これは自分には無理そうだなあと考えていたのです。

素人の乱は万人にとっての答えではありません。ですが、だからと言ってほとんどの人には無意味というわけでもありません。脱原発杉並で出会った那波かおりは、素人の乱が実践しているような生き方が、私たちにインスピレーションを与え、自分がどう生きうるか考え直すきっかけになると考えていました。

「松本さんの周りが楽しそうに見えた。世の中の流れとは違うかもしれないけど、こうなったらいいなと思える世界を先取りしているような気がした。もちろん、その世界には原発もない。日々をみんなで楽しく豊かにしていく工夫があった」[54]

那波は自分の過去をこう振り返っています。「馬鹿にされたくない、見くびられたくないという思いがけっこう強い人間で、いっぱしの大人になろうと努めていました」。彼女は運動を通して、自分のその頑なな部分が少しずつほぐされていくのに気付いたといいます。[55]

それは世間で広く受け入れられた価値観を通じて承認を得るのとは異なる、別のやり方で生を肯定することといえるでしょう。すでに評価されている肩書を手に入れるよりも、自分の身体で別の可能性を創造してゆくということです。そのような実践をしてきた先駆者が、松本のような人たちであり、彼らが3・11後の反原発運動の土壌をつくったのです。

素人の乱が生み出す渦は、周囲に予測もしない変化をもたらしてきました。それは彼らの行動とは縁遠いように見える政党政治にすら、不思議な影響を与えています。脱原発杉並にも参加していた当時の杉並区議の原田あきら（現東京都議）は、松本とともに反原発アクションを考えていたとき、彼の考え方に衝撃を受けたといいます。

「去年（二〇一一年）の末、松本から『もう数か月したら3・11から一年になる、そのときまでに原発を止めないとだめでしょう』と言われたときに、はたと気づかされて。『3・11を前に畳み掛けるような運動が必要だよね』と言われて、がつんとやられた。うちらの（政党の）場合は、根が深い問題だから、長い戦いだからと計画的にやってしまうんだな……。でも彼らは違うんだなと思って。畳み掛けるように『3・11までに止めるんだ』という情熱が必要なんだとすごく感じて。こいつは本当に止めようとしているんだ、短期決戦なんだなと」[56]

全国で組織を維持しながらコツコツと社会の問題に取り組む政党の活動も続けながらも、「短期決戦にそっぽを向くわけにもいかない」と原田は語りました。

一方の松本は、二〇一二年十二月、衆議院選挙戦の真っただ中、高円寺駅前の集会で、脱原発候補として出馬した山本太郎の応援演説に立っていました。制度化された政治には興味なさそうな松本を見たとき私は驚きましたが、演説後の松本はこのように語っています。

「自分にとって選挙はデモと同じなんですね。デモは、『うちらはこれだけいるんだ』と数を見せつける。選挙も『これだけ盛り上がっている』と見せつける。それで万が一勝つことになれば、もっといいけれど、とにかく盛り上げるのが大事」[57]

実は松本は二〇〇七年、当選はしなかったものの、杉並区議選に出馬した経験があります。出馬目的は議席を得ることではなく、合法的に街頭に解放区をつくることでした。選挙運動として、松本は高円寺駅前を、連日音楽や踊りやパフォーマンスが入り乱れるカオス的な空間に変えたのです。興味深いことに、この区議選には前述の原田あきらも出馬していました。当時を振り返りつつ、原田は素人の乱について以下のような評価をしています。

「素人の乱の活動で面白いなと思うのは、間を埋めていることだよね。ストイックな人たちと冷めている人、関心があっても動けない人の間にいる。（二〇〇七年の区議会）選挙のときは『とんでもない連中だ！』と思ったけど。選挙使ってライブやるとか、不謹慎極まりないと思いながら……でも楽しそうだった。どこにもタッチできなかったような連中を集めているような気がする」[58]

原田が言うように、制度化されない彼らの不定形の政治は、あらゆるすき間に入ってゆけるのかもしれません。

彼らの行動は、社会を変えるため一つの正しい答えを示すわけではありません。しかしそれは熱をつくり、放散します。そしてそのエネルギーを受け取った人々が、それぞれの場所で新たな動きを始めます。彼らの政治は、それに出会った人たちの内部に、何かしらの情熱を生み出すのです。

正しさや合理性を追求する理論ではなく、身体を通じて伝播し、出会った人の内部に情熱を喚起するような身体性の知が、運動の中で生まれています。そうした知は、失望の中にある身体、諦めや無力感に包まれた身体の内部にも、すき間から入り込み、熱を伝えることができるのではないでしょうか。

熱の伝播と希望

一方、運動の中にある身体にも、失望はつねに付きまといます。そうした身体にも、別の身体がつくり出した熱が伝わることがあります。

原発を推進する自民党が政権に返り咲いた二〇一二年十二月の衆院選は、脱原発を目指して活動をしてきた人々に衝撃をもたらし、多くの人が失望を口にしました。衆院選後、あるデモ参加者が漏らした言葉に、私も深く共感しました。

「原発は経済の問題で、経済を良くするにはある程度の犠牲（＝原発のリスク）が必要という論理がある。そして人は、手にしたものを守ろうとする。そんなふうに人が握りしめた手を、正攻法ではがすのか、何かで釣るのか……。お金にならないものの価値を説くのは難しい」（A、三十代女性）[59]

政治学者の杉田敦は、二〇一二年の衆院選直後に開かれたシンポジウムの中で、自民党を勝たせたのは、未来に対して倫理的行動を取るよりも、経済的な困窮の中で自分の生活を守ろうとする「現在主義」だと分析しています。[60]「いまここ」が不確実であるがゆえに、私たちは最低限の身の回りの安定を求め、結果的に他者――社会のマイノリティや、まだ存在しない未来の世代――を自分の生活圏や思考から追い出してしまいます。

他者への責任、特に未来世代への責任をどうしたら感じられるのでしょうか。原発事故の放射能汚染や核廃棄物処理の問題だけでなく、環境汚染や気候変動などの問題についても、私たちはまだ声を持たない未来の他者に大きな負債を背負わせていることを知りつつも、「いまここ」の安定を守ろうとしています。

他者への責任を、従わねばならない道徳義務として説くのか。あるいは長い目で見れば自分を利することになると合理的に証明するのか。これまでの政治思想を踏襲するならば、このような二者択一になってしまいます。それとは全く別の可能性に気づいたのは、脱原発杉並で出会った中村みずきと話していたときです。

中村もまた、二〇一二年の衆議院選の結果にショックを受けたと語るひとりでした。3・11を機に全く価値観が変わり、反原発運動に身を投じてきた人々がいる一方で、大多数の人は「物質的に満たされることが幸せ」という価値観を3・11後も継続しており、「何も変わっていないんだ」と感じたといいます。私が、そのように日常を継続する人々に対して、原発事故後の社会に生きる責任をどのように訴えればいいのか、というような質問をしたとき、彼女はこう語ったのです。

「原発を止めて別の道を選ぶのは、むしろ面白そうだと思う。どうせ原発マネーは私たちの所には回ってきていないんだよ。何の恩恵受けていたの？　地方と東京を分断して、そこに大きな溝をつくって、そういうことがずっと意図的にやられてきた。発電も地元で小規模の太陽光発電とか風力発電とか、エネルギーを地産地消するほうが効率的。その土地の良さを生かしてエネルギーをつくれて、仕事も生まれる。地元にお金が回って、一極集中の構図も壊せる」[61]

彼女の言葉には、私たちがそうすべきだという義務的な含みは全くありませんでしたし、それをどうやって実現するか、具体的なプランが語られたわけでもありません。にもかかわらずそこには確かな説得力がありました。その説得力は、言葉だけでなく彼女の笑顔にも起因していて、確かに別の道を選ぶのは面白そうだし自分もやってみたいと感じたのです。

合理性や道徳的正しさは、誰かの情熱を自分の中に取り込んだときに生まれる「自分もやってみたい」という衝動には及びません。道徳規範にせよ合理モデルにせよ、知性がどんな準拠を打ち立てようとも、この社会に生きている身体は、そのモデルと現実社会を生きる自らの間に、必ず齟齬を見つけるでしょう。そのようなモデルは希望の顔をしてやってくるものの、実際に身体に取り込まれると焦燥や失望に変わり、諦めとなって重く沈殿するのです。

社会運動が生み出すのは、個々人の身体を従わせるモデルではありません。そこに生まれるのは、自分に何ができるのか、どんな可能性があるのか、自分の身体を実際に動かしながら実験してみたいという情動です。

実験と反響

3・11後の路上には、様々な形の行動が存在しました。イデオロギーに依拠するもの。怒りを可視化し政治要求につなげるもの。より曖昧で言語化できない情動を共有するもの。メジャー志向のもの。マイナー志向のもの。制度化されたもの。制度化を拒むもの。代表制民主主義の内部で働くもの。その外部から、代表制民主主義に影響を与えるもの。それとは全く別の次元で作用するもの。

それぞれの運動が異なる軌道を持っています。強い重力で多くの人々を引き付ける運動は、安定した軌道で反復運動をします。一方で、より不規則で予測ができない軌道もあります。それは閉ざされたシステムのすき間に入り込み、再構成を促します。

このような状況の中で、どのうねり、どの器が新しい民主主義の形を示しているか、あるいは現代における抵抗の形を示しているかを論じることに、意味があるとは私は思いません。複数の角度から、様々なレベルで抵抗を試みることが大事だし、こうした様々な抵抗のうねりが相互に反響し合って新しい行動も生み出されます。

様々な抵抗の形が必要だと考え、タイプの違うアクションに参加するのは、実は困難なことです。例えば「固い器」と「柔らかい器」は、個人にまるで異なる役割を求めます。官邸前抗議の器では、個人は各自の色を捨てて「頭数」となり、一つの単純明快な政治的要求を突きつけます。一方脱原発杉並のような器では、むしろ個々人は多様な色を表現することを歓迎されます。統一性と多様性、どちらも大事だと言いつつ、私たちの多くは「どちらか」を正統なアクションだと決めようとします。それは私たちが、自分の行動の指針として明瞭な「答え」に依拠することに慣れきっているからでしょう。

個人が様々な器に参加するということは、器によって異なる役割を自ら引き受け、その時々で役割を変えることです。だから人々は官邸前では警官の誘導に従い、声をそろえて反復的なコールを叫びますが、時が来れば規制線を突破して路上を占拠します。パレードで友愛を表現しても、レイシストに対しては容赦なく罵倒します。

こうしたアクターには、一貫性がなく場当たり的だとの、否定的な評価が下されてきました。しかし3・11後のアクティビズムの展開を見れば、こうしたアクターたちの実践と反響によって、少しずつ社会の意識が変わってきたことが分かります。こうしたアクターは、どのような人々とつながり、それによっていつどこに、どんな変化をつくろうとしているかを意識し、それに従って動き方を変えることのできる存在です。つながり反響し合って形を変えてゆく存在です。

そして「器」は熱を生み出し、受け渡す場でもあります。政治や社会や、個人の生に関わるこれまでの知が、事象のメカニズムの解明や、目指すべきゴールを示す普遍的理念によって形づくられてきた一方で、3・11後の反原発運動は全く別のタイプの知を生み出し、それはその場に居合わせた身体を通じて伝播していきました。それは絶望の中にある身体に入り込み、その内側に希望のようなものを灯すこともあるでしょう。

運動の中にいると、エネルギーの交錯を感じ、それに突き動かされて新しい動き方を始める自分の身体を発見します。それが前章で見た「溶けた個」なのだと思います。「溶けた個」が情動や情熱を受け渡し合いながら、変化し続ける状況の中で、その都度より良い関係性を探ってゆくこと。それがホロウェイのいう「何百万もの実験」としての抵抗の政治です。

注

1 官邸前抗議にて、筆者によるインタビュー、二〇一二年十一月三十日。

2 スピーチは以下に収録。瀬戸内寂聴、鎌田慧、柄谷行人ほか『脱原発とデモ――そして、民主主義』、筑摩書房、二〇一二年。

3 John Holloway, *Crack capitalism*, Pluto Press, 2010, p.256.〔ジョン・ホロウェイ『革命――資本主義に亀裂をいれる』、高祖岩三郎、篠原雅武訳、河出書房新社、二〇一一年、三一六頁〕

4 ミサオ・レッドウルフ『直接行動の力「首相官邸前抗議」』、クレヨンハウス、二〇一三年、一七頁。

5 前掲書、四四頁。

6 筆者によるインタビュー、二〇一二年三月二十五日。

7 野間易通『金曜官邸前抗議――デモの声が政治を変える』、河出書房新社、二〇一二年、一三三頁。

8 前掲書、同頁。

9 前掲書。

10 筆者によるインタビュー、二〇一二年四月二十七日。

11 朝日新聞インタビュー、二〇一三年八月十日、朝刊オピニオン面。

12 同右。

13 ちなみに本章でも触れている通り、私の思考のフレームワークは、いわゆる「ポストモダニズム」に分類されるドゥルーズ思想です。私自身は、「正義」のような普遍的価値を名指ししなくても、個々人の尊厳を大切にする政治は可能であると考えており、むしろ正義という概念を用いない方が、そうした政治をイメージしやすいと思っています。この点で私と野間は異なります。しかし一方で、私は政治や社会運動をめぐる野間の発言の多くに共感します。どの思想に依拠するにしろ、尊厳を求めて動く身体を肯定する、あらゆる語りに私は共感します。リベラリズムであれポストモダニズムであれ、対立軸はむしろその思想の内部にあると私は考えます。その思想を自分の生の格闘から切り離して世界を俯瞰するために使うのか、それを自分の生の闘いの中に取り込んで利用するのか。野間は後者として前者を批判しており、私もその点では同じです。

14 Twitter, @kdxn, 二〇一四年九月六日。
15 朝日新聞、二〇一四年九月十三日、朝刊オピニオン面。
16 産経新聞、二〇一二年七月十九日、朝刊一面。
17 筆者によるインタビュー、二〇一二年十二月四日。
18 筆者によるインタビュー、二〇一三年一月三日。
19 同右。
20 同右。
21 同右。
22 Michal Osterweil and Graeme Chesters. "Global uprisings: Towards a politics of the artisan". In: Steyphen Shukaitis, David Graeber, Erika Biddle (eds.), *Constituent imagination: Militant investigations, collective theorization*. AK Press, 2007, p.254. ミクロ・ポリティクスにはいろいろな定義がありますが、この定義を選んだのは、いわゆる「アイデンティティ・ポリティクス」と区別するためです。アイデンティティ・ポリティクスもまた、議会政治・政党政治の枠組みとは別に、個人の生き方や関係性に主眼を置いた政治です。しか

し抑圧されているアイデンティティの承認を既存の権威に求めるというアイデンティティ・ポリティクスの企図は、複数のアイデンティティ・グループ間で、承認や配分の優先順位をめぐり、争いを起こしかねません。私がここで述べているミクロ・ポリティクスとは、むしろこうした既存のアイデンティティの分断を曖昧にし、新しい関係性を生み出すことに主眼があります。

23 脱原発杉並会議にて、筆者によるインタビュー、二〇一二年三月三十日。

24 Michael Hardt, and Antonio Negri, *Multitude: War and democracy in the age of empire*. The Penguin Press, 2004, p.99.〔アントニオ・ネグリ、マイケル・ハート『マルチチュード――〈帝国〉時代の戦争と民主主義』、幾島幸子訳、日本放送出版協会、二〇〇五年、上巻一七一頁〕

25 Hardt and Negri, 2004, p.100.〔ネグリ／ハート、二〇〇五年、上巻一七二頁〕

26 筆者によるインタビュー、二〇一二年四月五日。

27 同右。

28 ジル・ドゥルーズ、フェリックス・ガタリ『千のプラトー――資本主義と分裂症』、宇野邦一ほか訳、河出書房新社、二〇一〇年。メジャー性・マジョリティ性とはその逆で、例えば人数の少ないグループでも意思決定の実権を握っていたり、社会の標準価値を決める地位にあったりします。こうした場合、物理的な数では少数でも、マジョリティと考えられます。

29 野間、二〇一二年、一三七頁。

30 前掲書、一七七頁。

31 筆者によるインタビュー、二〇一二年十一月十九日。

32 筆者によるインタビュー、二〇一二年三月十五日。

33 筆者によるインタビュー、二〇一二年十一月十九日。

34 オンライン中継された脱原発杉並会議より、筆者の間接的観察、二〇一二年二月二十六日。

35 脱原発杉並会議において、筆者によるインタビュー、二〇一二年三月十五日。

36 ドゥルーズ／ガタリ、二〇一〇年、上巻六〇頁。

37 脱原発杉並ウェブサイト〈http://www.mcri21.com/uzomuzo/calls/〉

38 筆者によるインタビュー、二〇一二年十一月十九日。

39 筆者によるインタビュー、二〇一二年四月六日。

40 同右。

41 筆者によるインタビュー、二〇一三年一月十三日。

42 同右。

43 絓秀実『反原発の思想史――冷戦からフクシマへ』、筑摩書房、二〇一二年、三三七頁。

44 William E. Connolly, *The fragility of things: Self-organizing processes, neoliberal fantasies, and democratic activism*. Duke University Press, 2013.

45 Free Association, *What is a life?: Movements, social centres and collective transformations*, 2006, p.18. 〈http://freelyassociating.org/wp-content/uploads/2008/01/what-is-a-life_0606.pdf〉

46 以下を参照。Lewis Call, *Postmodern Anarchism*, Lexington Books, 2002. ポストアナキズム思想家であるルイス・コールによれば、伝統的なアナキズムは国家や経済システムの外側にある権力――個人的関係で働くミクロな権力――にほとんど関心を払ってこなかったといいます。伝統的なアナキストが自分たちの抵抗を合理主義的な言語や論理を使って説明したのは、そうした言語や論理体系そのものが権力的効果を帯びていることに無頓着だったからだと指摘します。

47 このアナキズムは伝統的なアナキストが提唱するような「主体性に基づくアナキズム」ではなく、「主体性のアナキズム」です。詳しくは以下を参照。Saul Newman, *From Bakunin to Lacan: Anti-authoritarianism and the dislocation of power*. Lexington Books, 2001. ニューマンはこの起源をマックス・シュティルナーの思想に見ます。シュティルナーにとって、自己とは空虚で定義不能で偶発的なもの、そして常に作り直されているものです。シュティルナーにとって反乱とは、自己の新たな可能性を解放するため、押し付けられたアイデンティティを拒絶することです。一方で、ルイス・コールはこうした「アナーキーな主体」を、啓蒙主義的な主体概念を解体したニーチェの哲学から引いています。ニーチェは人間の主体性とは流動的であり、変化こそが私たちを作り上げる核心であると主張しました。ドゥルーズとガタリはこのニーチェの考えを発展させ、永続的な創造と自己超克を行うラディカルな政治主体を構想したとコールは考えます（Call, 2002）。

48 John Holloway, *Change the world without taking power*. 2nd edition. Pluto Press, 2005, p.146.［ジョン・ホロウェイ『権力を取らずに世界を変える』、大窪一志、四茂野修訳、同時代社、二〇〇九年、二八九頁］

49 John Holloway, *Crack capitalism*, Pluto Press, 2010, p.257.［ジョン・ホロウェイ『革命——資本主義に亀裂をいれる』、高祖岩三郎、篠原雅武訳、河出書房新社、二〇一一年、三一八頁］

50 筆者によるインタビュー、二〇一二年四月六日。

51 同右。

52 ドゥルーズ／ガタリ、二〇一〇年。

53 絓、二〇一二年、三三五頁。

54 筆者によるインタビュー、二〇一二年十二月十七日。

55 同右。

56 筆者によるインタビュー、二〇一二年四月十日。

57 高円寺駅前の街頭演説にて、筆者によるインタビュー、二〇一二年十二月十五日。

58 筆者によるインタビュー、二〇一二年四月十日。

59 筆者によるインタビュー、二〇一三年一月三日。

60 「討論・新政権にどう対峙するか」、二〇一二年十二月二十二日、東京都千代田区。市民グループ「みんなで決めよう『原発』国民投票」主催。
61　筆者によるインタビュー、二〇一三年一月十三日。

第五章　路上の想像力（3）運動の継承

3・11後の路上で運動の研究を続ける中、常に自分に問わずにいられなかったことは、「何のために研究するのか」です。もちろんすべての研究に崇高な目的があるべきとは思いません。それでも、未曽有の原発事故を経験した直後の時期、沈黙を破って声を上げたり、声を上げる場所をつくったりしている人々の貴重な時間を借りて、私の問いに答えてもらうとき、それに見合った理由が必要なのは当然でした。

何のためにこの運動を研究するのか。私には、この運動を記録して伝えなければというジャーナリスティックな使命感はなかったし、この運動をもっと良いものにするため研究者として助言したいという啓蒙主義的な情熱もありませんでした。私はただ、この現実を変えたかったし、だからこそ同じ思いをもつ人々の運動に加わって、そのやり方を考えたかったし、そこに自分がどんな風に貢献できるのか考えたかったのです。

研究者が運動にアプローチするとき、立てる問いは様々です。運動がどのように発生したのか。どのように展開したか。その背景に何があったのか。どんな特徴を持った人が参加しているのか。問いを立て、運動を観察し、人々に話を聞き、分析し、それぞれの問いに答えを出すことで理解する。通常の研究ならそれで完結します。しかし私はこの国で、いま目の前で展開する運動を研究する人間の態度として、それが倫理的だとは思えませんでした。

3・11後の日本社会についての研究をする人間は、研究者であると同時に、研究対象である社会の構成員です。外から運動を観察するなら、それを理解することが最終的な目的でもよいかもしれません。しかし当事者としての「私たち」にとって、理解は完結ではありません。「私たち」はこの現実を、より人々の尊厳が重視されるものに変えるため行動を続けるしかありません。そうした「私たち」にとって最大の問いは、3・11後に路上に生まれた運動がどんなものかではなく、その運動の生んだうねりをどう継承し、どう広げ、変化を生み出してゆくことができるかということです。

「この現実」を変えるために運動を研究するとき、運動に関する答えを出すことは、さほど助けになりません。ある運動の発生や衰退のメカニズムを解明したり、教訓を引き出して理想的な運動のモデルを示したりしても、それが次の運動に適用できると考えるのは安直です。運動は複雑な要素が絡まり合って発生する予想不能の現象であり、過去と同じ条件は二度と整いません。むしろ私たちは、いかなる先例もない中、何が武器として使えるかも分からない中で、抵抗をつくらねばならない場合のほうがずっと多いのです。

ジョン・ホロウェイは、私たちの抵抗にひとつの正しい答えはなく、目的地も分からないままに、道を問いつつ歩くのだといいます。なぜひとつの答えがなく、目的地が分からないのか。「不安の時代」において、私たちを取り巻く環境は急速に変化を続け、絶えず私たちの日常の下部に見えないひずみを蓄積し、亀裂をもたらします。私たちは、その生まれ続けるひずみや亀裂に向き合い、それが致命的な破壊とならないよう社会関係をつくり直し続けねばなりません。そのやり方には決まった形がなく、その努力には終わりもないのです。

実際、福島第一原発の事故を機にそうした努力を始めた人々の多くは、その後も様々なイシューの運動に加わり、声を上げ続けています。人々のこうした持続的な努力を、外側から観察する際に、反原発、反差別、反安保法制という個別の運動に分離し、一定期間の経過を分析した後に、結論をまとめあげて物語を完結することは、研究者側の欺瞞でしょう。

もちろん研究者側としては、一定の区切りをつけざるを得ないのですが、その区切りは私にとって、結論ではなく通過点です。この章で私が試みたいのは、運動が継承されているか否かを論じて「結論」を出すことでもなく、どのように運動を継承すべきかという「答え」を出すことでもありません。書くということで私なりにこの運動を継承し、そして次の変化の可能性に開こうとする試みです。

運動が生み出すもの

運動を「継承する」とはどういうことでしょうか。どのような状態であれば運動が「継承されている」といえるのでしょうか。反原発デモの回数も参加者も、当然ピークにははるかに及びません。しかし毎週の抗議には参加できなくなっても、月一回、年一回は参加を続けている人々もいます。前章で述べた通り、路上ではない場所で行動を始めた人もいます。単純に彼らの多くが運動を去り、これまで通りの日常に戻ったと言い切ることは不可能です。つまり継承を、参加人数や運動の形の維持として語ることはできません。

それでは継承されるものは何なのか。この問いは、運動が生み出すものが何なのか、という問いと切り離せません。運動が個々人の実践の集積であるなら、その実践のひとつひとつを詳細に描き、後世に伝える試みも運動の継承といえるでしょう。運動が新たな民主主義のあり方を示していると論じるのなら、そこに明確な輪郭を与え、理念として継承することもあるでしょう。けれども私が3・11後の路上で感じたのは、運動とは個々人の実践の集積以上のものであり、ただしそれは個々の実践が収斂し、行き詰まった現実に代わる別の理念を表出する場とも違うということです。運動の場とは、個々人の実践が予想もできない相互作用をし、新たな可能性を生み出してゆく場なのです。

相互作用しながら運動の場で生まれているものとは具体的に何なのか。それが分からなければ、どう継承しうるかも分からないのですが、実は「それが何か」を言葉で描写することこそが最も困難であり、そのことが運動の継承というテーマを複雑で困難なものにしています。
言語化できないものを生み出しているという特徴は、3・11後の運動に限られたものではありません。第一章で触れたように、全共闘運動こそがまさにそのような運動でした。3・11後の反原発運動のフィールド調査の最中、全共闘世代の小阪修平が自身の経験を振り返る以下の記述を偶然目にして、私はそれが複数の3・11後のデモ参加者の語りに驚くほどよく似ていると感じました。

だから、ぼくにとって全共闘運動とはなによりも、相手と向かい合った時の態度、自分自身と向かい合う態度を意味していたのだ。〔……〕解放の欲求と同時に倫理的な問いを自身に向けたところに、全共闘運動の画期的な位置があったのだとぼくはかんがえている。たしかにそれまでの政治運動にも倫理的な問いはつきまとっていた。だがこれまでの問いは、なすべき義務や虐げられた民衆と自分自身を比較しての問いであったり、あるいは自分自身の道徳観や価値観となすべき行為の落差がもたらす問いであったのにたいし、全共闘の問いはまったく別種のものであった。「正しさ」ではなく、「態度」ということばで表現するとぴったりくる。[1]
〔……〕全共闘の意味とは、ストレートに伝達され言表されたものではなく、いったん水面下に潜り、ふたたび出てきた影響や生き方にあるのだと思う。〔……〕全共闘経験とは

「つかまれてしまった」ということであり、人生にとって重要なのは、たいてい自分が意図したことよりむこうからやってくることだ。その意味でぼくは運命（あるいは宿命）ということばを使う。[2]

全共闘運動とは正しさの追求であるより、自分や他者と向き合う態度の実践だったと小阪はいいます。それは自分を巻き込む関係の中で権力性を問い直し、他者との間により倫理的な関係性をつくろうとするもので、自己否定という言葉で概念化されました。

この試みには3・11後の運動と共通するものがあります。原発事故の反省から首都圏に生まれた運動の中で人々が実践してきたこと。それは、本当はつながっているにもかかわらず、境界線を引いて見えないことにしていた他者や、関係ないことにしていた事柄との関係性を変えてゆく努力でした。

第一章で見たように小阪は全共闘の問題の一つを、こうした抵抗を従来の政治用語で概念化したことにあると考えています。個人の身体実践を通じた「態度」としての政治は、「正しさ」を語る硬質な言語に切り取られ、さらにイデオロギーで塗装され、互いに衝突しました。また、自己否定をなしとげる自分自身の道徳性を極限まで追求したことも、実践の継続を困難にしました。一方で、それを外から観察していた知識人も、その用語の内側に閉じ込められた、新たな抵抗の思想の萌芽に気付かぬまま、「非政治的な運動」という意味の殻で覆ってしまいました。

もちろん全共闘運動と3・11後の市民運動とは異なります。両者を明確に区別する姿勢は、特に3・11後の運動参加者に顕著です。彼らは、過激化した全共闘運動の教訓から、イデオロギーとは極力距離を置いてきました。確かに、この運動の表現形態という目立つ点における違いは明白ですが、目に見えない点にいくつもの類似が見られます。例えば運動参加者が問うているもの、彼らを突き動かす衝動、そして運動に単純な答えを与えようとする研究者の側の態度も。

自分の身体的経験、そこから生じる情動に突き動かされて行動し、周囲との関係性を変えてゆこうとする個々人の実験は、いまだ政治実践としてきちんと概念化されていません。そのため3・11後の市民運動の中で人々が怒りを表出するたび、現実を単純化しているとか生産的でないと批判されます。もっと冷静に、合理的に社会にアプローチするよう諭されます。これまで通りの政治の言葉と手順を押し付けられます。一方で運動参加者の側も、運動の意義を外側に伝えようとする際に、既存の言語に頼らざるをえません。ひとりひとりの生を肯定する政治を考えるとき、その立脚点を「正しさ」に求めるしかできないのは窮屈です。

私は合理性や正しさを、政治の言葉から排除すべきだという乱暴な議論をしたいわけではありません。それらはもちろん政治の根幹をなすでしょう。問題は、このような既存の政治言語だけでは、もはや現実の人々の苦しみや抵抗の希望を語れないことです。こうした言語が不可視化し、周縁に追いやり、放置してきたものが積み重なり、社会に大きなひずみを生み、あちこちで破綻をきたしています。ならばいま必要なのは、私たちの痛みや希望を別のやり方で表現することでしょう。

アフェクティブな知

私は政治の言葉にずっと距離を感じてきました。とりわけ普遍的な価値として語られるような概念――正義や自由、平等、平和、民主主義といったものに。そうした理念は、私の身体からひどく遠いものに思えました。正義とは何か、平等とは何かと議論している間に傷つけられ、放置され、消えてゆく生のことを考えずにいられませんでした。私自身もまた、そうした議論の間に疲れ、失望し、考えることをやめた一つの身体でした。

世界を自分から切り離して観察することで原理や規範を発見するような知に希望を感じなかったからこそ、私は市民運動に目を向けたのかもしれません。世界の関係性に取り込まれ、そこで格闘する個別の身体のほうに。自分が世界を理解するための知ではなく、自分の身体に生きられる知のようなものに希望を探したかったのです。

私たちは、みなすでに「取り込まれて」います。だからこそ自分も囚われているこの複雑な関係性を、全体像が分からないままに、内側からもがきながら修正し続けてゆくほかありません。そこから生まれる知は、複雑な現象を正確に読み解き、その因果関係をモデル化するような知ではありません。あるいは、複雑な社会でどう生きるべきか、一つの正しいモデルを示すこともありません。「である」とか「すべき」を提示するのではなく、たくさんの「しうる」を提示するような知です。[3]

運動の中では、誰かのつくったうねりが出会った人を触発し、自分もこのように生きてみたい、次はこんなことをしてみたいという情熱をかき立てます。一つの普遍的な答えを提示するのでなく、個々の身体を触発する知。それを「アフェクティブな知」と呼びたいと思います。このような知を得ることは、生の脆弱性を解決することには役立ちませんが、それは不確実性の中で、より良い生の関係性を探ってゆく実験を励まします。そしてこのような知だけが、失望して疲弊した身体に行動を始めるエネルギーを与えられると思うのです。[4] 私が継承したいと願うのは、こうしたアフェクティブな知です。

ただし、アフェクティブな知には欠点があります。場を共有する身体を通じて伝達されるものを、身体経験を共有していない「外側」にどのように伝えるのかという点です。この形のない、熱のようなエネルギーを継承しようとするとき、さらにそれを一つの知として描こうとするとき、どうしても硬くて普遍的なものとして描き出そうとしてしまいます。そしてその正しさを証明しようという衝動に駆られ、すでに広く認識されている政治用語を用いようとしてしまいます。

こうした抽象的な政治用語は、前章で述べた通り、運動に参加した人たちにとっては、「再身体化」されたものであり、自分の生にとって重要なものと感じられるでしょう。しかしその経験を共有していない身体には、それが自分の生に関係しているものと感じられません。運動が生み出す情動の「熱」だけが、シニシズムの中にある身体に入り込むことができるのに、そこに届けるための言語化が、「熱」そのものを奪うのです。これは運動とアカデミアを行き来する際に、私が常に感じてきた矛盾でした。

この矛盾に風穴を開けてくれたのもまた、首相官邸前抗議で出会った参加者でした。その日、私は国会前の抗議エリアでたまたま耳にした、ひとりの青年のスピーチに惹かれました。その内容は、実務的な情報共有でも政府を批判するアジテーションでもなく、官邸前抗議に集まる人々についての語りでした。[5] 自作のプラカードを掲げたり、お弁当や椅子を持ってきたり、それぞれのやり方で抵抗する人々への敬意を表すものだったのです。

スピーチ後に個人的に話を聞くと、イラストレーターだという青年は、官邸前抗議に参加する人々をイラストと文章で紹介するレポートを制作し、友人に配布しているとのことでした。なぜ反原発運動が大事か理性的に説いて参加を呼び掛けるより、「ひと手間かけて」イラストでアプローチするほうが「バイブレーション」が伝わり、興味を持ってくれるのではないかと考えたというのです。

後日送ってもらった彼のレポートには、デモ参加者の言葉や抗議スタイルが、丁寧なイラストで描写されていました。それぞれのやり方で運動を続ける参加者ひとりひとりの努力や生き方を、スケッチで肯定していました。彼はスケッチについて、「他の人が見てはいるけど、気付いていないから記憶として残らないものに、自分が気付いて形に残す」[6]ことだと語っていました。

ひょっとしたら、運動が生んだアフェクティブな知識を外側に伝えるのは、このようなスケッチかもしれません。個々の身体に起きる触発は、普遍的なモデルとして描き出せません。それが伝える効果は受け手によって異なります。継承されるのは、何か硬くて永続的な本質というより、バイブレーション＝振動なのです。スケッチは、個人のライフヒストリーや、運動の経過といった現象の詳細を描写し、完全な表象を試みることではありません。変化する現象のメカニズムを普遍的なモデルに置き換えたりするものでもありません。異なる歴史を持つものが出会ったとき、相互作用によって生まれる一回きりのエネルギーを抽出することです。

スケッチという技法は、スケッチする相手に対しても倫理的です。それは対象を一方的に切り取っておきながら、まるでそれが真実であるかのように提示したりしません。スケッチするとき、人は対象を完全に理解しないままに、対象と自分の出会いが生んだエネルギーのようなもの、あるいは出会いが自分の中に残した痕跡のようなものを描くのです。

変化の途上にあるものを切り取り、結論や答えやモデルによって完結させないこと。この運動が何なのか、運動に参加する人々が何者なのかという意味を確定させないこと。なぜならこうした試みは、運動を閉ざすことであり、個々の実践をバラバラに分断すること、相互作用による変化の可能性を奪うことであり、結果的には運動の継承の弊害になるからです。

受け継がれるのは特定の形でもなく、不変の理念や法則でもありません。運動の継承とは、完成された物語を維持することではなく、スケッチによって振動を受け渡し、さらなる変化に「開く」ことだと私は考えます。だから運動の継承と題したこの章の残りを、こうした参加者ひとりひとりのスケッチに近いもので構成したいと思います。

＊＊＊

〈二〇一九年の抵抗のスケッチ〉

ミサオ・レッドウルフさん（首都圏反原発連合）

3・11前から、反原発運動に携わっていたミサオ・レッドウルフさん。二〇一二年三月、最初にお話をお聞きした直後に、首相官邸前抗議を開始しました。現在まで、毎週続く抗議を支えています。一般の人々が日常を維持しながら参加できる、敷居の低い抗議を維持する一方、インタビューの中では自身の抵抗の意思を鮮明にし、「いい世の中にするための礎」になることの誇りを語っていました。信念に突き動かされながら、それを教条主義に結び付けず、時機に即した行動を取る姿勢は、一般的な活動家のイメージとは異なっていました。(以下、本文中は敬称略)

「原発事故は相当風化してしまっている。事故のことを大げさに見せないようにしたいという政府の意図もあって、その通りになってしまっているなって」

近年の反原発運動の現状を、ミサオはそのように分析しました。反原発のシングルイシューを掲げた反原連の首相官邸前抗議は、二〇一二年夏に大きなうねりをつくりましたが、ピークは半年も続かないと予測していたといいます。「参加者の人数は当然減っていくというのは予測を立てていた。暮らしもあるし、人間の怒りのモチベーションって長く続かないじゃないですか」

二〇一二年末に安倍政権が誕生して以降、市民運動のイシューは多様化しました。ミサオも反原連とは別に、政権の政策に反対する組織を他の二団体と協力して立ち上げました。一方で、毎週の反原発抗議活動も維持し続けています。

「何かが起こるたびにバーっとそこに行くというのは、結局政権に振り回されていること。一つのイシューをしっかりやる人たちが絶対に必要。原発は長い年月をかけて築かれた深い利権のしがらみがあるため、放っておけばズルズル続く可能性がある。だから『反対』の声を上げ続けることが必要になる」

いまの反原発運動の状況は、3・11前の規模に近いといいます。ただ金曜官邸前抗議は一定のところから参加者数が減らない状態で持続しており、場所は必要とされていると感じています。元々の抗議の目的は、圧倒的な数の人々を集め、脱原発の民意を政府に突き付けることでした。いまはそうした数のインパクトこそないものの、「これだけ続けていると示すことも意義がある」。念頭にあるのは、祝島で毎週続けられている上関原発反対のデモ行進です。

野田政権時代に民主党が二〇三〇年代に原発をゼロにする方針を打ち出し、デモは政治を動かせると実感しました。しかし政権交代後の自民党政権は、路上の声を無視。市民の声をメディアが拾い、世論が動く例があるにしても、根本的な問題は国会の中にあると考え、草の根の市民運動のイメージに囚われすぎることも警戒しています。

二〇一一年に反原連を立ち上げて以来、市民運動の組織運営という面でもチャレンジをしてきました。お金がない人でもスタッフを続けられるよう、カンパを集めて交通費を支給。ボランティアベースの活動だと、年一回のイベント企画で精一杯という、3・11前の市民運動の経験に学び、自身も含めて手当制の専従スタッフも置きました。抗議を主催するだけではなく、原発問題を分かりやすく説明するリーフレットや、ミサオ自身がインタビューや編集を行うマンスリーレターも発行しています。

二〇〇六年ごろに友人に誘われて六ヶ所再処理工場の反対運動を始めたミサオ。当時はイラストレーターの仕事をしていたものの、仕事と反原発運動の両立が難しくなり、辞めたのは運動ではなく仕事の方でした。「活動をやっていて、のたれ死ぬならしょうがないって。自分は間違っていない」。借金をしながら暮らしていたところに起きたのが福島第一原発の事故。運動は自分なりに「退路を断って、生命かけてやっている」と明言します。

彼女の言葉に私がいつも感じてきたのが、状況によっては妥協とも思える方針を戦略的にとる一方で、自身はそうした戦略としてのフレームや言語に流されない信念を持ち続ける究極のバランス感覚のようなもの。その重心はどこにあるのか。

三章でも触れたように、自分を原発反対に突き動かしたのは瞑想中に見た「殺されてゆく先住民」のイメージだといいます。「葬り去られて足蹴にされて、なかったことにされた先住民からの訴えというか、そうしたものが自分の身体に入っている」と彼女は語ります。自分を突き動かすのは感情ではなく「もっと精神的なもの」だと。

過去とのつながりを強く意識し、(排外主義に接続されることのない)民族主義を自身のモチベーションにする点も、ミサオがこれまでの左翼運動家とは異なる点です。彼女は、地域や民族的な文化に根差した誇りを持ち、自らの権利を主張することが抵抗の基盤をなすと考えているのです。

そのために、短期的には現政権に対峙することが重要であっても、中・長期的には教育の改革が伴わなければならないと語ります。特に必要なのは人権についてきちんと教えること。同調圧力が強い日本でも「自分に最低限の権利があり、権利を主張していいんだと教えれば、怯えずに主張できる」。そうすることで民主主義制度も初めて機能するといいます。
「制度は誰がそれを運用するか、そこで誰がどう考えて生きているかで良くも悪くもなる。だからこそ、ひとりひとりが自分の権利に自覚的になって、それを染み付いた感覚にすることが大事だと思います」

（取材　二〇一九年十一月十八日）

那波かおりさん（翻訳家）一九五八年生まれ

「脱原発杉並」に集うひとりだった那波かおりさんにお話をお聞きしたのは二〇一二年三月と同年の十一月。常に自分の中の複雑な感情に向き合いながら紡がれる言葉に強く共感しました。過去の原子力事故や戦争に感じたはずのショックを忘却し、日常に忙殺されて生きてきたことで、原発事故に「加担した」という思いを持ち、行動を始めたといいます。3・11後の反原発運動を、これまで互いに競争をさせられてきた人々が、「99％」としての自覚をもち、路上でつながり合いながら社会に変化を生み出してゆく過程と語っていたのが印象的でした。

脱原発杉並にも参加し、二〇一二年以降、現在まで金曜官邸前抗議の当日スタッフを続けている那波。穏やかな語り口の中に、決して諦めない粘り強さがいつもあります。「ここ数年、政治の状況はあまりにもひどくて、たとえ政権が変わっても、すぐにましになるわけじゃなく、これを変えていくには長い時間がかかる。でも、あらかじめそれが分かっているから、そんなに絶望もしません」。市民運動はかつてなく育っており、若い世代によってこれまでにはない新しいやり方も生まれている。だからいまも「希望は目減りしていない」と語ります。

「もし反原発運動がなかったらもっと再稼働が進んでいたはずだし、いくつかの廃炉決定もなかったかもしれない。市民運動は一つの重りとして機能している」

那波は、3・11後の市民運動は成果を生まずに終わったという一般的な評価は、運動の成果を過小評価し、判断を急ぎ過ぎていると反論します。一つのデモをつくるノウハウ、レイシストへのカウンターとして集合し散っていくノウハウ――それらを身に着けた人々によって、市民運動は何十年も続いてゆく「99％の側のプロジェクト」なのです。

原発事故は、誰が当事者なのかという問いを、ひとりひとりに突きつける出来事でもありました。「当事者かそうでないかは、白黒つけられるものではなく、グレーゾーンを含んでつながっている。ある日突然、当事者に近づいているのに気付くこともある」。二〇一二年以降、毎週続く官邸前抗議には、いまでも初参加の人が来ます。これまで社会問題に無関心に見えた身近な人が、閣僚の一言を聞き、急に怒りを露わにすることも。だから「どこで火がつくか分からない」と考えます。たとえ運動のピークに路上を埋めた人の多くが、いまは具体的に動いていなくても、「一回デモに出た人生とそうじゃない人生は違う。蒔いた種はたくさんある。いまそれがまだ土を被っているからといって、何も起きなかったというのは軽々な判断じゃないですか」

原発事故の直後は駆り立てられるように行動し、それを「コーリング」という印象的な言葉で語っていた那波。「いま行かなきゃ、動かなきゃという一撃があった」と当時を振り返る一方で、現在は自分で動いていると感じます。当時の怒りがそのまま持続しているわけでもありませんが、抗議でコールする際はそこに集まった「みんなの怒り」として、官邸や国会に言葉をぶつけています。

短期戦で原発を止めようと思って始めた運動が、自民党政権に対峙する長期戦になったいま、身を守ることも「長くやっていく戦略」の一つ。自分の仕事を維持しつつ、「生きているうちの時間のいくらかを使って、世の中が少しでもましな方向に向くような活動に時間と労力を投じていく」――そうしたいまの自分の活動は日常に埋め込まれ、違和感がない形で持続可能になっていると感じています。

小さな社会を大切にしたいという気持ちから、最近では近所に住む目の不自由な人に週一回、ボランティアで本の朗読を始めました。「一緒に誰かと生きていくことを大事にしたい。何か助け合えないかと思って」。誰かの役に立とうと行動することは、自分に返ってきて自分を豊かにすると実感しています。

3・11後、特に変わったのは、自分の考えを大切にするようになったこと。「自分が嫌だと思うもの、好ましいと思うものについて、以前より執着するようになった。こんなものかと妥協していたことを、それで済まさなくなったかもしれない」と語ります。「十六、七の頃の自分にもう一回引き戻された感じもある。世の中に対してすごく怒っていた。でもそのうち適当に合わせる知恵とテクニックを身に着け、なんとなく辻褄を合わせてきたけれど、もっと剥き出しな自分に触れたような気がしたのかな、怒りとか後悔とか。分厚い着ぐるみを剥ぎ取られた感じがした」

原発事故を機にデモに参加するようになってから、トラメガ（トランジスタ・メガホン）を買ってローカルデモも主催してきた那波。最近の官邸前抗議では、コールをリードするだけでなく、ドラムも叩きます。「人が足りないところに行って、自分にできることがあればそれをやればいいと思って。大群の中の一匹として、全体の流れの中で必要なことがあればそれをやる。そのほうが楽しいし」

楽しんでやる抵抗は長続きします。「相手はそれを一番嫌がる。だからそれをやりたい」と語る口調に、しなやかな不屈さを感じました。

（取材　二〇一九年十一月十五日）

中村みずきさん（通訳・ライター）一九七六年生まれ

後述の何森直さんと一緒に、脱原発杉並の司会として有象無象の「これをやりたい」という情熱を引き出し、増幅させ、形にしていく役割を担った中村みずきさん。二〇一二年五月と翌一三年一月のインタビューでは、身近な人々と思いを共有し、地域のつながりの中で生活に変化をつくっていくことの希望を語っていました。常に笑顔で語られる言葉には、いまとは違う何か、まだ存在しない何かを求める衝動を、「ワクワクする」ような喜びや楽しさの振動として伝える力がありました。

七年近く前のインタビューと同じカフェで、当時からの変化について尋ねると、「あのときを振り返ると大変だったなーって」と笑いが返ってきました。あのときほどに「脇目も振らずにやるようなことは、いまはもうないかな」。二〇一三年一月当時のインタビューは、自民党政権が誕生した直後。その後、「(二〇一五年の) 安保法制のときはいろいろやったけど、問題も山積みだから、あの熱量でやり続けるのは無理というのはあるかもね」

当時、「場所」の大事さを語っていた中村。いまでも地域での場所づくりの活動を続けています。高円寺で不定期に開催しているナイトマーケット「ほろ夜市」には、地元のクラフト作家やフード店が出店。トークやライブもあり、福島の子どもの支援活動や、朝鮮学校支援に携わる人など、これまでの活動でつながった人たちを招いて報告を聞き、交流の輪を広げています。

二〇一三年当時から開かれていた「ほろ夜市」ですが、一年ほど休止していました。しかし区議会選挙の低投票率を目の当たりにし、「なんでもいいから集まって、好きなことを言って思いを共有できる場所がやっぱり必要だなと」二〇一九年六月に再開しました。

中村の本業は通訳。語学力を生かし、月に一回、英語ニュースを読む講座も開いています。友人から頼まれて始めたところ、海外メディアのほうが日本の出来事を分かりやすく報じていたり、国内では当然とされていることが海外では異常なことと報じられていたりすると気付き、外からの視点に目を開かされたといいます。閉塞感がある日本の中で、「世界ではこんなことが起きていると共有して、視野を広げたり、希望が持てたりできればいいなと思って」

社会が変わる胎動を感じていた二〇一二年ごろに比べて、最近は「全然希望がないねと、この間も友達と話していた」と語る中村。けれども積極的に「場を開く」活動はいつも続けています。

「ほろ夜市もそうだけど、オルタナティブを見つけたくてやっているのかなっていう気持ちはある。自分が見つけたいし、あったらみんなと共有したい。希望っていうのは、社会を変えたいっていう希望もあるけど、自分たちの生き方を見直すみたいなこともあるかもしれない」

それは自分が何を買うか・買わないか、何を選び取るかという日々の生活に始まり、自分がどう社会へアプローチしていくか考えることだといいます。例えば脱原発杉並から生まれた「デモ割」は、チェーン店より地元の店にお金を落とすようなオルタナティブの流れをつくりました。目に見えるつながりの中でお金を使うことで、「いろんなお店をやっている人たちが地元でビジネスを続けられて、街が活性化して、いろんな生き方が保証されるとか、そういうことにつながっているかもしれないって」。当時のインタビューで語っていた地産地消の再生可能エネルギーも、いますぐは実現できなくても、「道がないわけではないから。いま自分がやれる範囲で少しずつできたらいいのかな」

沖縄の高江にも何度も足を運び、米軍ヘリパッド建設反対の座り込みなどに参加してきました。周りに何もない高江に行くと、人間に大事な本質がよく分かると言います。

「森を壊して基地を拡張し、戦争で人を殺すための訓練をする。だから森を守るってことは、森から恵みを受ける自分たちの暮らしを守ることだし、戦争を止めることだし、戦争が奪うかもしれないいのちも守ることだって、シンプルに分かる。自然と暮らしが直結しているのが曇りなく見える」

二〇一七年、同じように米軍基地問題を抱えるグアムの人々が、高江を訪問する際に通訳として同行しました。ヘリパッド建設で引っ越しを余儀なくされ、村にも県にも国にも見捨てられたと感じてきた沖縄・高江の家族と、沖縄の負担軽減の名目で海兵隊移転を受け入れることになったグアムの人たち――分断された被害者たちがつながった瞬間に立ち会った中村は、そのときのことを高江の家族がのちに「一筋の希望の光が見えた」と語ったことが印象に残っているといいます。基地建設によってグアムの先住民・チャモロ人の聖地を脅かされる現実も日本の人に知ってほしいと、先住民と交流し歴史や文化を学ぶグアムツアーを地元住民と一緒に企画。二〇一八年から実施しています。

仕事の面では、二〇一四年からフリーの通訳・ライターに。価値があると自分が思ったことをやりたいと言います。

「世の中を良くするためのコミュニケーションの手助けがしたい」

出会いに開いて、つながりの中に身を置いて行動する姿は変わっていませんでした。

（取材　二〇一九年十一月八日）

何森直さん（ＩＴエンジニア）一九七三年生まれ

中村みずきさんとともに、脱原発杉並の司会を務めた何森直さん。脱原発杉並を「入れ物」のようなものと語り、その中で人々が持ちよる多様なエネルギーを泳がせ、うねらせ、そこから生まれるものを楽しむ姿勢が印象的でした。二〇一二年四月のインタビューでは、「白黒はっきりつけられない」複雑な社会で、凝り固まった物差しを振りかざすことを批判。生命には「理論」などないと語る言葉には、誰かに媚びることなく常に自分の嗅覚で生きてきたという自負も感じられました。

当時の自分の反原発運動は敗北だった、と何森は受け止めています。多くの人が相当の危機感を持って声を上げたにもかかわらず、「それでも止められなかった。やばいなこの国って正直思っちゃう」。大きな地震が頻発し、今後も巨大地震が予測され、核廃棄物処理の問題は未解決。原発は動かしてはいけないものなのに、「そういうものを3・11後に全部なあなあにしてしまった」ことに、この国の危機を感じています。

優れた省エネ技術がある一方で、日本は自然エネルギー分野で大きく後れを取っています。自然エネルギーが新しい産業となった欧州に対し、日本では「既得権益を失うことを恐れる人々の抵抗で、利権化した産業が残った」。ＩＴエンジニアの何森は、優秀な日本の若者たちの視線の先にあるのは、もはや日本ではなくアメリカや中国だと感じています。日本には「最新の技術が伸びていく土壌がない」と。

3・11の前まで、市民運動の経験は皆無。「それまではただのビジネスマン。誰かと徒党を組んで行動するってことはなかった。だけど放射能は怖いし嘘をつかれるし、それは怒るよねって声を上げた。そうしたらたくさんの人がいた」

当時は会社を経営しており、反原発運動に加わることで借金も背負ったといいます。「生活もあるし、原発を止めてさっさと普通の生活に戻ろうと思っていました。でもそんなに簡単じゃねえなって」。二〇一二年夏、大飯原発は再稼働され、その後もなし崩し的に再稼働は進められました。

家族もあり収入が必要だと、現在は市民運動からは離れています。「でも忘れてはいないんですよ。原発は絶対止めなきゃいけないし、止められないなんて気持ち悪い世の中ですよ。当時、（原発を止めるのは）大人の責任だと思ったけど、全然理想通りいかない。だから若い人たちには、『外に目を向けて、俺たちの状況やばいんじゃないかって思ったら飛び出してくれ』って、そういう後押しをしていきたい」。震災が起きた当時は小学一年生だった長男も高校生になり、海外へ留学するといいます。

脱原発杉並でつながった人々は、その後も色々なアプローチで社会に働きかけています。その後押しができればと、二〇一三年には、自分が事務所として借りていた高円寺のビルの一室で、トークライブハウス「高円寺パンディット」の立ち上げに協力。その後、同じビルの上階でゲストハウスのオープンにも携わりました。

「なんか違う形で行動して、それを続けてみたいなって。それだけで七年とか八年とか経っちゃったわけです」。どちらも現在は直接経営に関わっておらず、「人生の一部としてそれを経営している仲間とは責任の重さが違う」と語りますが、地元の高円寺で展開されるアクションの裏方として行動しています。

「デモしたり反対運動したりするのと同じように、商売人が商売で生活しながらやっていけることもある」。国内外の若者が集う場をつくっている人々と関わる中で「希望が見えたっていうのはある」といいます。高円寺は、集まった人が残した様々な痕跡が折り重なり、文化が生まれ、円熟味を増してゆく街。その一部として生きてゆくことは、「悪いけど、超楽しいですよ」

二〇一二年のインタビューで、3・11を機にライフスタイルを変えていかなければならないと語っていた何森。その思いはいまも同じです。

「バカでも何でも考えなきゃいけないし、知らなきゃいけないと思った。ズブズブにエネルギーを使いながら、経済成長だとかインフラも整って治安のいい国に住んでいた。自分がどうやって暮らしているのか、電気つけて蛇口ひねってという行動の意味を一個一個、丁寧に知る必要がありましたよね」

何森自身、二〇一三年にそれまで経営していた会社を畳みました。「結構儲かったんですけど辞めちゃいました。いまの構造の中で、自分がこの位置にいて飯を食っている……そう丁寧に考えていくと『意外とくだらないな、他のやり方もあるだろうな』と思って」

もちろん知るにしても行動するにしても限界はあります。専門家のように知識を得ることもできないし、組み込まれた構造を完全に拒否することはできません。

「でもだからこそ自分の周りとか、世の中のこと知るしかなくて。言いたいことを言えないとか忖度とかが嫌だから、どうやって、生活も維持しながら自由に生きていこうかって考える」。その模索がライフスタイルを変えることにつながると考えます。

「何かあったらデモやって騒げばいいし、デモじゃないって思ったら別のやり方をすればいい。常に抗っていることですね。そっちの方が気持ちいいんですよ」

（取材　二〇一九年十一月九日）

中村由美さん（公立図書館非常勤職員）一九六二年生まれ

中村由美さんに最初にお話を伺ったのは、脱原発杉並で活動していた二〇一二年三月。「社会のお客さんではない」市民が自分たちで行動する重要性を語っていました。情熱を分かち合いながら、自分の足元の暮らしを変える行動をつくる場である脱原発杉並を「柔らかい器」として大事にする一方、路上の声を統一して政権に突きつける「固い器」の官邸前抗議も、スタッフとして支えてきました。さらに政治家への直接的な働きかけも行うなど、多様な形で抵抗を実践してきました。

脱原発杉並については、「一言で言えば愛してるの」。有象無象が集まる器の中で「民主主義を学ばせてもらった」といいます。国会は数の力で決まってしまう。けれども脱原発杉並の会議では、決定は拍手によって行われていました。強く賛成するときは大きな拍手、どちらかといえば賛成なら小さな拍手、どちらかの拍手が明白に大きくなるまで議論が続けられ、自分の当初の意図とは違っても、最後は気持ちよく受け入れられる。多数決ではなく「熱意×人数で決まった」のです。

彼女に最初に話を聞いたのは二〇一二年三月、脱原発杉並のメンバーとしてでした。二〇一二年十一月、二度目のときは反原連のコアスタッフとして。それから長く官邸前抗議の運営をサポートしてきましたが、今回のインタビューの時点では、「数か月に一回の大きな集会の際に、政党や議員に参加のオファーをする程度」という役割に変わっていました。

脱原発杉並で活動する当時は、シングルマザーとして中学生だった娘を育てていた中村。娘が高校、大学へと進学して手を離れてゆくのと入れ違いに、母親の認知症が進行し、介護のために実家がある福岡県と東京を往復するようになりました。「子どもの世話は見通しが立つ。でも介護は見通しが立たない」。精神的にも辛くなり、時間的余裕もなくなったため、毎週の抗議への参加が難しくなったといいます。

一方、実家と東京を往復するようになって感じたのが、地方と東京のギャップです。原発産業によって雇用先が生まれ、交通インフラも整い、生活が向上していった地方の人々の暮らしを、実感を持って想像できるようになりました。

「それまでは、脱原発で立地自治体の人の仕事がなくなると聞いても、『そうは言っても原発は止めて、国の政策で新しい産業に移るしかない』と思ってた。それは基本、間違いではないけれど、もっと田舎の人たちの忸怩たる思い……例えば原発を動かすことで、地方が犠牲を払いながら国に貢献してきているんだという誇りを、都会の私たちが分かっていなかった」

それでも原発は止めなければならないという思いから、「微力ながら自分でできること」を反原連で続けています。「自分の居場所は路上」という中村。「路上を維持する意義はある。政権が国会前の集会を禁止するような状況をつくらないために、週一回、場所を温めて民主主義を維持する」。脱原発杉並が活動していたころに比べ、デモや集会の場所を確保しにくくなったという現在、デモ申請をせずに政治の中枢で抗議を続けることは大きな意義を持ちます。

最近感じるのは、右派アクティビズムの「マメさ」と、左派リベラル知識人の「無精さ」だといいます。「右翼は抗議の電話をする手間暇も惜しまない。でもリベラルはプライドがあるのか、そういうことはしない。電車に乗って講演会に行って、講義録つくって……そういうエネルギーがあれば電話くらいできるはず」

たまたま学識者の集まる読書会に参加した中村は、在特会を批判的に議論する参加者たちが、誰も実際の在特会のデモを見に行ったことがないと分かり衝撃を受けました。

「見に行って、ヘイトスピーチをする人間の表情を目の当たりにして、あなたがどう思うか、あなたがどう感じたかを聞きたいと言ったら、参加者がみんなシーンとして。すごく腹が立った。なぜそういう場に身を運ぶことを厭うのか」

中村には、個人の地道な行動に対する手応えがあります。二〇一五年、安保法案を審議する委員会中継をNHKが予定していないことを疑問に思い、直接電話。委員会審議は中継の基準を満たしていないと言われたものの、「視聴者の意見をある程度は反映する」との言質を得て、意見を言おうとツイッターで呼び掛けました。七千件のリツイートがあり、委員会は放送されました。

「読書会の外に出て、異質な人のところに行って変えていかないと。批判が嫌なら褒める電話でもいい」。学識者が褒めれば、それだけで力になると訴えます。

二〇一九年、台風十九号が近づく中、台東区がホームレスの避難所利用を断ったと知ったときにも、メディアやあらゆる知人に電話しました。「末端でやれる範囲のことをやって、たくさんの人が動いた。台東区も変わらざるを得なかった。希望がないわけがない」

かねてから、同じシングルマザーの女性たちに、自分が調べた公的支援制度を教え、申請を手伝っていたという中村。「自分の身の回りの人を幸せにすることで、社会が変わることを実感する」。経験に裏打ちされた、市民の力への信頼を感じました。

（取材　二〇一九年十一月十七日）

原田あきらさん（日本共産党　都議会議員）一九七五年生まれ

二〇一二年四月のインタビュー当時、共産党の杉並区議だった原田あきらさん。固い基盤のある政党組織に属し、議会の枠組みで政治に携わりながら、素人の乱や脱原発杉並など有象無象の不定形の市民運動にも熱心に参加する区議というのが新鮮でした。畳み掛けるような「短期決戦」に挑む素人の乱に衝撃を受けたという語りには、市民の抵抗と議会政治がどう作用しあうのか考える示唆がありました。

このインタビューの二か月ほど前、「杉並の反原発運動が野党共闘の始まりだった」という話が、ちょうど共産党の地区委員会で出たと教えてくれました。

そもそも共産党と素人の乱はどうやって出会ったのか。都心で反原発デモを続けてきた素人の乱が二〇一一年八月に実施した銀座のデモに、共産党が街宣カーを貸したことが協力の始まりだといいます。しかしその翌月のデモで逮捕者を出して以降、素人の乱は大規模デモを中断。原田は、自分たちの党組織だけで数百人規模のデモをやるだけでよいのかと疑問に感じていました。同年末ごろに素人の乱の松本と話す機会があり、都心ではなく地元で、他の政党も含めて広範な人たちに呼びかけるデモをやりたいと一致。翌年の「脱原発杉並」へとつながりました。

細かい違いを並べ立てて強調するような議論が嫌いだと原田はいいます。「とりあえず歩け、って思う。とりあえず松本哉と一緒に歩いたら面白いかなって」。脱原発杉並には、野党系政党に所属する地元の区議、アナキスト的な素人の乱、その素人の乱のデモによって運動に参加し始めた杉並周辺の市民が集結。二〇一二年二月のデモでは、親子連れから伝統的な左派、反原発で一致した右派までが一緒に歩きました。

当時、有象無象が集まる脱原発杉並の会議を楽しみ、そこで生まれるものを高く評価していた原田。「有象無象が生きていけないと組織は発展しない。活動の視野が狭くなる」と語ります。「目指すべき所に行き着こうと力を得ようとしたら、負の力も混ざってくる。それをびびってたり排除したりできない」

組織運営の面でも、脱原発杉並の「言い出しっぺがやる」という方針が心に残っているといいます。

「自分で手を挙げて、『私はこれをやる』っていうのが拍手を浴びて、それはその人の名誉になった。あの雰囲気はすごい大事だよね。他の人が言った意見も含めて、全部が俺たちがやりたいことになって『全部叶えようぜ』ってなった。あの雰囲気はどうやったら再現できるんだろうね」

当時のインタビューでは、素人の乱のような短期決戦スタイルに衝撃を受けたと語っていました。しかし短期決戦を可能にする情動のエネルギーには衝突がつきもの。脱原発杉並の会議は、こうした短期決戦を目指す人々が生み出す「一触即発のエネルギー」と、それを受け止めて「長期的な太い道」を示す共産党の重鎮たちがうまく作用しあう空間だったと振り返ります。「この社会を変えようと思ったら、長期戦になるのは間違いないんだけど、それは短期決戦で一回一回勝っていくことなんだよね、きっと」

素人の乱は、議会政治に関わることはほとんどありません。しかし彼らのデモに参加した人々が、脱原発杉並で地方議員と協力するようになり、その一部が後に首都圏反原発連合の官邸前抗議にも参加。スタッフとして支え続ける人もいます。そして官邸前や国会前で行われるこうした抗議は、野党系国会議員が共闘の意思を示す場にもなっています。3・11以降に政治に対して覚醒した人たちが、「荒削りながら運動の担い手になっていき、地道に頑張ってきた政党の人たちと出会った」のが杉並の運動だったと原田は振り返ります。

自民党の長期政権が続く中で、路上に人があふれかえるような大規模な抗議は二〇一五年以降起きていません。当時に比べても、政権に異を唱えにくい空気が社会に浸透しているようにも思えますが、原田の実感はそれとは異なります。「人々の怒りと、正義を求めるエネルギーは水面下で溜まってきている」。原発以外の問題に対しても声を上げやすい雰囲気が醸成され、人々が政治にコミットする雰囲気は、地域の中で確実に高まったと主張します。

原発事故から時間が経ち、原発反対という要求を明確に突き付ける人は減りました。選挙の投票率も相変わらず低いまま。しかしそれに対しても悲観はありません。「原発が危ないという意識は、みんなの深層心理に入っている」。反原発運動は人々の中に「一本の柱を立てた」というのが彼の主張です。別の問題が起きたとき、「一気に梁と柱がそろって家が建ち、その人は投票にも行くかもしれない」

変化は自分の目の届く範囲からつくってゆくものだと原田は明言します。

「日本の社会を変革するっていう目標から比べたら、ちっぽけかもしれないけど、僕らは杉並に住んでいるのだから、まずはその地域を変えたいと思っている。脱原発杉並の動きはいまでも杉並や周りの自治体の運動に影響を与えていて、その意味ではコツコツと変革を続けていて……そろそろ短期決戦の衝動にも駆られている」

（取材　二〇一九年十一月十七日）

植松青児さん（アクティビスト・ジャーナリスト）一九六〇年生まれ

二〇一三年一月当時のインタビューでは、「99％の中の格差」に目を向けねばならないと訴え、素人の乱のデモや反原連の官邸前抗議など、東京の反原発運動に関してクリティカルな視点で語っていた植松青児さん。注目を集めるメジャーな運動が見過ごしてしまったり、かき消してしまったりする「小さな声」に、丁寧に向き合う運動をつくろうと、試行錯誤しながら実践し続ける姿が印象的でした。

かつてのインタビューで際立っていた小さな声への配慮は、今回も継続されていました。二〇一五年、安保法制に反対する行動を国会前で始めた際も、「強い相手に負けないように強くなるのとは違うものを」と考えながら行動し、集団でコールする抗議活動の後ろで、参加者の声を拾うオープンマイクの場を用意したといいます。

「アクティビストとして自分が行動するとき、メジャーな運動を補完することを考えている。自分は反原連やＳＥＡＬＤｓのように人は集められない。でも市民運動は複数化していいはずだし、メジャーな行動が取りこぼす側面をすくい上げることをやればいいのかなと」

反原発運動の中では、被災者支援のための政策要求をしてきましたが、二〇一二年に成立した「子ども・被災者支援法」はその後、実効性のない骨抜きの内容に。個別に被災者を支援する活動に関わったものの、相談を受けてすぐ現場に直行しなければならない個別支援と、自分の生活との両立が難しく、続けられなかったと悔やみます。

二〇一一年の震災からの時期は、自身の生活の苦境とも重なっていました。それまでやっていたフリーランスの校正の仕事が震災を機に少なくなり、別の派遣の仕事をすることに。二〇一三年から二〇一五年は、自宅から片道一時間半かけて都心の勤務先に通い、コインロッカーに入れていたトラメガを仕事後に取り出して抗議に行く日々でした。体力的に続かないと二〇一六年以降に地元での仕事に変えたものの、得たのは最低賃金すれすれの肉体労働。仕事はやりがいがあったものの、「夫婦二人で月収十五万円はきつかった」と振り返ります。

その中でも、大きく光が当たらない問題に目を向ける新たな行動を始めました。盧溝橋事件から八十周年となる二〇一七年七月七日に、仲間と二人、国会前で戦争反対を訴えました。「日本で平和を誓う日にされている八月六日、九日、十五日は、すべて被害者としての記憶に基づいている。本当は侵略戦争を始めた日に戦争反対と言わないといけないはずだよねって」

この行動に共感を寄せたのが、八十歳を超える人たちでした。そのうちひとりは当時八十八歳の男性。その男性が語ってくれたのは、日中戦争開戦後の数年は、戦争が経済を活性化する「めでたいこと」だと思われており、「侵略している間は誰も悪いことだと思っていなかった」ということでした。

「自分が殺されるのが怖いから戦争反対を訴えることも大事だけど、普通の人がいきなり殺す人にもなれる、それが怖いということを広く共有したい」

運動を支えてくれたこれらの人たちは、すでに鬼籍の人に。けれど「八十を超えた方々がそんなに強く共感してくださった。それは僕ひとりが細々と続けるモチベーションを保つには充分すぎる」

その後、植松はこの活動を契機に関係が生まれた雑誌『週刊金曜日』の編集部に勤務することになり、五十八歳で初めてジャーナリストに。もう一つの見過ごされてきた問題として、南西諸島の自衛隊配備を記事に取り上げ、これに反対するアクションにも参加しています。

3・11後の市民運動が民衆の力の可能性を示したと感じる一方、民主党から自民党に政権交代したことで状況は一変したと考えます。「自民党政権はいかに民衆のポテンシャルを潰すかを考えた。徹底的に民衆の言葉を無視することでシニシズムを蔓延させ、行動しても無駄という雰囲気をつくった。モチベーションを潰していく、それ自体が一つの政治なのだと思う」。この状況下では運動に参加する側も、自分が諦めないことで精一杯で、他の人のモチベーションを喚起する実践ができていないのが課題だといいます。

「シニシズムそのものを政治と捉え、抵抗する必要がある。自分の場合は勢いで始めたら深く共感してくれる人がいて、シニシズムの壁を乗り越えることができた。でもシニシズムを打ち破る集団的な取り組みが必要だと思う」

それはどんな取り組みか。話を続けるうち、「語りかける相手に向けて『あなたは素晴らしい』とはっきりと言うことかもしれない」という言葉が出てきました。「条件付きで生かされているような、個人としての自己肯定を剥奪していく文化や教育に対して、あなたはすでに頑張って生きてきた、すばらしい存在だと、まず最初に言うべきではないか」——そういう下地があってこそ市民運動も成り立つはずです。しかしこれから市民運動がその課題を引き受けることもできるはずだと植松は考えます。小さい声をたくさん集めること。それはダイレクトに政権への圧力にならなくても、自分と同じ思いを多くの人が共有していると知り、自分の経験を肯定することにつながるはずだと信じています。

（取材　二〇一九年十一月十六日）

川口和正さん（ライター）一九六四年生まれ

3・11後にデモに参加し、いまも官邸前抗議のスタッフを続ける川口和正さん。地元の中野区でも、さまざまな行動に関わっています。無関心に見える人々にどう思いを伝えるか、危機感が薄れてゆく自分自身にどう向き合うか——行動を続ける中で感じる揺らぎや、自分を支える言葉などを丁寧につづるツイートに、私は深く共感してきました。

その行動と思考の軌跡を、この機会に伺いたいと思いました。

二〇一一年四月の高円寺の「原発やめろデモ」が、最初のデモ参加だったといいます。自宅から歩いてゆける距離。「声を上げないといけないと思いつつ迷っていて、行くだけ行ってみようかと」。辿り着いた出発地点はものすごい人だかり。「デモと沿道の区別がなく、街中がデモのようだった」という中を吸い寄せられるように歩いたのを覚えています。

「印象に残っているのは、ダンボールに『無知だった私ごめんなさい』と書いたプラカード。自分もそうだった。自分たちの使っている電力が原発で発電されると知らなかった罪悪感というか、申し訳なさがあって」

そこから立て続けにデモに行き、福島の子どもたちを放射能汚染から守るアクションにも参加。二〇一二年には大飯原発再稼働に反対して経産省前や官邸前での抗議に参加する一方、脱原発杉並のアクションで知り合った人たちと、地元の中野区でデモを主催しました。官邸前抗議の人数が増え始めた頃、スタッフとして手伝うようになり、以来ほぼ毎週、当日スタッフを務めています。

「やっぱり自分は加担者だったっていう申し訳なさがあり、変わったんですね。それまでは声を上げていなかった。でも何かあったら、抗議する対象の前まで行って、直接声を上げることを学んだ。官邸前に行き、その場に身を置くことで自分に刻むというか。この時間をなくすと3・11前の自分に戻っちゃうなって」。官邸前抗議には、毎週片道三時間かけてくる参加者もおり、「そういう方々を見ていると足元にも及ばない」と感じています。

彼へのインタビューの前、私も久々に官邸前抗議に立ちました。感じたのは孤独です。官庁勤めと思しき人たちが脇目も振らず足早に通り過ぎます。「でも内心はどう思っているか分からないから、(無関心だと)決めつけるのも良くない」。そう川口は言います。

「仕事関係の人たちの間でも自分は少数派。でも集団的自衛権行使容認の問題では、普段そういう話をしない人から『やっぱりデモ行かなきゃいけないですよね』と話しかけられた。自分みたいな人がいる意味はあると思ったんですよ。化学反応を起こして、そういうコミュニケーションができたりする」

「沿道とデモの境をなくしたい」との思いから、サラリーマンが参加しやすいようにと「脱原発☆スーツデモ」も友人たちと実施し、手応えを感じました。一方で日常と路上の溝を実感したことも。安保法制反対の国会前抗議で、参加者と車道を隔てる鉄柵が倒れたときのこと。「僕らは(国会前の車道を人が埋め尽くしたという)絵をつくるために車道に出ましょうと呼び掛けたけど、その場で固まって動けない人もいた。習慣っていうのか、急に動けないのかなって。象徴的な感じがしました」

フリーライターとして活躍しつつ、雑誌などの編集や校閲の仕事もこなし、その合間に「最低限の活動」として、毎週の官邸前抗議と、地元の駅前で安保法制廃止を訴える隔週の街宣行動への参加を続けています。

「自分が納得したことをやりたい。納得できないことをやらざるを得ないときも多いですけど、ちょっとでも納得する方向にしたいですよね」

日々の行動を綴る彼のツイートの中で印象に残っていたのが、人々が分別しないまま捨てた空き缶やペットボトルを自主的に分別しているという記述でした。「自分が出したゴミがその後、どうなるのかということを、なぜ考えないんだと頭にきちゃって」とその動機を語ります。「原発も知っていて見過ごした。こうした小さなことを見過ごすことが、大きな問題につながっていくんじゃないかと」。私がそのツイートにはっとさせられたのも、その点でした。誰がやったか分からないから、と責任を曖昧にして怠けてしまうような、日々の些細な習慣を変えてゆく行動の原点を見た気がしたのです。

二〇一七年に彼が上梓した著書『ひとりから始める――「市民起業家」という生き方』（同友館）には、都市農業やカフェを始めた人、伝統技術を受け継ぐ人、ＮＰＯで貧困や環境問題に取り組む人ら、様々な仕事の形が紹介されています。その序文にこうあります。彼らは「手間と時間と知恵をかけて、物を作り、場を開き、人と向き合う」人々だと。そしてみな「ひとり」から始め、その「志と思いが、やがて人に届き、つながり、道を切り拓いていった」

本で取り上げた人たちとは、震災の前に出会っていたそうですが、私にはこの描写が、彼も含めて自分が震災後の路上で出会った人々に重なりました。ひとりで一歩を踏み出し、そこで出会う人とつながりながら、他者や自然との関係を丁寧に紡ぎ直し、現実のオルタナティブをつくってゆく。「ひとりから始めた」数々の実践が反響しあい、周囲に変化を生み出してゆくのです。

（取材　二〇一九年十一月十五日）

＊＊＊

運動の継承

これらの「スケッチ」からも分かる通り、反原発運動に流れ込んだエネルギーは、実に多様なものでした。これらはときに衝突することもあり、しかしその合力が運動のうねりを生みました。彼らの現時点での運動への関わり方は様々であり、いわゆる運動の場から離れた人もいます。しかし彼らに共通しているのは——そして当時から変わらないのは——自分の足元で、周囲に何らかの変化をもたらそうという努力を続けていることです。そして自分がいる場を「外」に開き、そこでの出会いから生まれる情動を身体に取り込み、湧き上がってくるエネルギーを行動の原資にしていることです。

もちろんこのインタビューの後にも社会は変化しています。二〇二〇年に入って、私たちは世界を一変させる災厄へとまた放り込まれました。物理的な場所に集うことができない感染症の災禍は、私たちが3・11後の市民運動で実感した力への新たな試練となりました。けれどもこの章の冒頭で述べた通り、運動が継承するのは方法論というより、その中ではぐくまれた情動や知であり、それは不確実性の中で、私たちひとりひとりが、より良い関係性を実践してゆくエネルギーとなります。3・11という亀裂を介して予期せぬ他者と向き合った人々が、どう反応して動いているのか。どのようにして生の尊厳を軽んじる力に抗い、変化を生み出しているのか。その多様な軌道をスケッチすることで、それに触れた人々の中にも情動が生まれ、エネルギーが継承されていくと私は信じます。

多くの市民が声を上げるきっかけとなった二〇一一年の「原発やめろデモ」を主催した素人の乱の松本哉は、近年は特にアジア各地のオルタナティブコミュニティと交流を深めており、高円寺は日本における交流拠点のひとつになっています。未知のものに開き、つながり合って新しい配置を探る情熱は、こうした渦の中から人々へと伝播してゆきます。

官邸前抗議のピークだった二〇一二年夏、反原連の中心メンバーだった野間易通は、二〇一三年以降、レイシズムに対するカウンターとして路上に立ってきました。3・11以前から反レイシズム運動に関わっていたという野間は、当時は抗議のやり方も模索状態だったと振り返ります。3・11後の路上で野間自身がデモや抗議のノウハウを学び、声を上げる習慣を養った人々とともに新たな流れをつくり出していったのです。

野間が強調するのは「メインストリームを変える」必要性であり、素人の乱のようなオルタナティブをつくる抵抗とは明確に異なる考えを持っています。けれどもこれらの実践は相互補完的なものであり、だからこそ、3・11後の市民運動は、一つの抵抗理論として示せません。しかしそこには共通の知性があります。それは野間が反レイシズム運動を通じて語ってきたことでもありますが、左翼的な教条主義にも、それへの警戒としてのポストモダニズムに派生する冷笑主義にも与しない、現代の抵抗の知性です。

本章を書くにあたって、知性とは何だと思うか野間に尋ねると、それは「ファクトをリスペクトする態度」だという言葉が返ってきました。その野間の批判が、ファクトを隠したり、そこから目を背けたりする反知性主義だけでなく、現実を都合の良い議論の枠組みの中に押しこめたり、現実に起きている現象から自身を切り離して語る知識人にも向けられているのは象徴的です。政治家や役人、メディアやアカデミアが「批判精神を欠いたまま『なあなあ』にやってきた綻びが、3・11後に噴出している」と野間は指摘します[7]。

これに対峙するのが、混沌の中に飛び込み、地を這って行動する身体に宿る知性です。それはこの章に登場した人も含め、3・11後の抵抗者たちの生き方にすでに立ち現れているものであり、運動の中で彼らに出会った人々によって継承されているものです。

次章は、こうした運動の「熱」を失うことは承知の上で、研究者としての私が3・11後の運動から継承してきたものを新たな抵抗の知として体系化し、最後に私の希望について語りたいと思います。これは、運動を外側から観察する学者が運動のエネルギーを既存の意味の枠組みに押し込めて無力化してしまうことに対する、研究者としての私の抵抗であり、閉ざされてしまったものを開こうとする試みです。

注

1　小阪修平『思想としての全共闘世代』、筑摩書房、二〇〇六年、二〇四頁。

2　前掲書、二〇六頁。

3　これはポストアナキスト思想家のトッド・メイの議論を参考にしています。詳しくは以下を参照。Todd May, *Gilles Deleuze: An introduction.* Cambridge University Press, 2005. この中でメイはドゥルーズ哲学について、それは生の問題を「どのように生きるべきか（How should one live?）」ではなく「どのように生きうるか（How might one live?）」と問うものとしていますが、私はこれが路上の政治実践にも現れていると考えます。

4　これもドゥルーズ哲学の「アフェクト」の概念を参考にしています。政治とドゥルーズ的な「アフェクト」の関係については、以下などを参照。John Protevi, *Political affect: Connecting the social and the somatic.* University of Minnesota Press, 2009.

5　筆者による参与観察、およびインタビュー、二〇一四年五月二日。

6　筆者による再インタビュー、二〇一四年五月二十三日。

7　筆者によるインタビュー、二〇一九年十一月十六日。

第六章　抵抗の知性と希望

この本で試みたのは、不安の時代の抵抗を描くことでした。そのために私は、これまで語られてきた希望を拒否し、絶望の底に降りることから始めました。それは、現実を受け入れるしかないという無力感に浸るためではなく、そこになお残る身体と、そこに宿る衝動に抵抗の力を見るためでした。

現代社会において、人々は不安ゆえに、抑圧的な権力であっても服従します。また複雑な社会関係の中では、自らの政治的要求どころか、自らの生に痛みを強いる相手を特定することすら難しい場合があります。怒りを抵抗の原資とすることすら難しい時代を、私たちは生きています。この時代、私たちによりなじみある感情は不安や諦めですが、それは不寛容や冷笑と結びつき、民主主義の危機をもたらしています。

不確実性にさらされた人々が他者を排除することで自らの安定を保とうとする不寛容の空気や、不透明な社会の中で、自分に都合の良い情報だけを信じ、それ以外を遮断しようとする反知性主義的な態度を乗り越えようと、学者の側から様々な提言がなされています。ですが、彼らが前提とする揺るぎない価値観、それを説明するための言葉、それを達成するための方法論と、それよりもずっと不安定な現実に囚われた身体との間には、しばしば大きな隔たりが見られます。不安で脆弱な生にとっての希望を語る知は、いまのところ存在しているように思えません。

私にとって3・11後の路上は、それを創造する場でした。反原発運動は、これまで信じてきたもの、当たり前のように受け入れてきたものが崩壊した地点から始まりました。それは、現代社会の不安で不確かな個人にも、「いまここ」とは異なる新しい社会をつくってゆく力があることを伝えています。この章では、その抵抗に表れている知性をもとにして、不確かで不安な個のひとりである私自身の言葉で、現代における抵抗の希望を語り直したいと思います。

「知ること」の限界

これまで私たちがよりどころにしてきた知と、不安定で複雑な生の現実の間の、すれ違いに生まれる悲劇の一つが災厄です。それは「知ること」の限界を様々な面から私たちに突き付けます。

福島第一原発の事故によって、現在の科学的な知の限界が露呈しました。科学は核分裂エネルギーを制御して利用することを可能としましたが、それが現実の社会システムに組み込まれたとき、はるかに複雑なメカニズムに絡みとられたのです。原子炉の運転に影響を与えるリスク要因は自然災害やテロ、人為的ミスまで無数に存在します。これらの無数の要因をすべて考慮し、将来を正確に予測し、絶対安全な管理を実現することは不可能でしょう。

福島第一原発の事故については、もっぱら東電の利益優先体質や国の管理体制の不備が指摘されていますが、社会学者のチャールズ・ペローは、たとえ完璧な管理システムを構築しても事故は起こりうると述べます。[1] 原発のような複雑なシステムの内部では、小さな欠陥の相互作用が予期しない事故を招くことがあるからです。

私たちは科学的知性によって、世界の現象の仕組みを解明し、問題があればそれを除去して解決を図ってきました。けれども問題のすべてが、このように科学的に解明されるわけではありません。低線量被曝が人体に及ぼす影響や、極めて低い確率ながら破局的事故を起こしうる原発のリスクについて、現在の科学は明確な解答を出せません。

核物理学者のアルヴィン・ワインバーグは、このような、科学に問うことができても科学のみで答えられない問題群を「トランスサイエンス」として区別するよう論じています。[2] 福島の低線量被曝については、疫学的調査でがんリスクを証明できないという「トランスサイエンス」的事実が、「科学的にリスクが認められない」という科学的言説として流布したことが問題視されました。[3]

現在の科学の知見をはみ出る問題を、強引に科学の領域に引きずり込んで疑似的な答えを得るのではなく、別のタイプの知性を招き入れて判断する必要があります。ただしそれは、科学の不完全さを、道徳的な正しさや政治的な正しさで補完すればよいということではありません。限界を見せているのは、そうした「正しさ」を導き出す理性そのものかもしれないからです。社会関係の複雑性と、急速に進歩する科学技術の影響力の予見不可能性によって、私たちは自分や他人の将来的な利益を把握し、それに基づいて行動を取ること自体が難しくなっています。

二〇一九年、東電の旧経営陣三人の刑事責任を追及した強制起訴裁判で、三人ともが無罪判決を受けました。三人の起訴内容は、予測されていた巨大津波への対策を怠って事故を招き、避難を余儀なくされた病院の入院患者を死亡させた、という業務上過失致死傷罪でした。しかし東京地裁は、事故前に出されていた津波予測は信頼性に疑いが残るとし、三人に原発停止を義務付ける根拠にはならなかったと判断しました。また、事故前の社会通念として、原発を運転する際に「絶対的な安全確保」までは前提とされていなかったとの理由から、刑事責任を問えないとしました。[4]

三人が免責されたのは、彼らが信頼に足る判断の根拠を持っていなかったからです。しかし根拠ある破局予測とはどんなものでしょうか。正確な予測の難しい地震や破局的な火山噴火のリスクを、どう責任の概念と結びつけるのか、司法の判断は揺れています。

曖昧になっているのは司法上の責任だけではありません。原発に関しては、事故による放射能汚染だけでなく、核廃棄物の最終処分など、はるかに遠い未来の世代にまで影響しかねない問題もあります。これほど遠い人々への道義的責任を、私たちは感じることができるでしょうか。「よくもそんなことを」と訴えに来ることすらできない将来世代に対する責任を、私たちはいとも簡単に踏みにじってしまいます。前例のないリスクをはらんだ高度な科学技術に支えられる社会で、これまでと同じような合理性や道徳に基づいて責任を描くことが困難になっています。

こうした中で、政治的な主体の存在もまた脅かされています。複雑な社会関係に絡みとられた人々が、日常で感じている不安や苦痛の原因をはっきりと特定し、それに基づいて政治的な要求を行うことは簡単ではありません。科学技術に関わる問題は特にそうです。原発についても、事故が起きるまでは多くの人が漠然と感じる不安を表明せず、専門家に判断を任せてきました。漠然とした感情を政治行動につなぎにくいだけではなく、そうした感情さえ摩耗させて、現状のシステムに適応する努力を多くの人が日常で強いられています。

先行きの不透明な時代においては、自分たちの生を脅かすシステムを変えるために行動するどころか、変化を望むことも困難なのに、既存の政治思想はその事実を軽視します。それらの多くは、世界を正確に「知る」ことができ、それをもとに行動できる存在を前提にするか、あるいはそうした主体としての自覚さえ促せば、人々が覚醒するかのような前提で議論を始めます。

こうした前提は、一言でいえば「近代的な主体概念」です。自分が何者か、何が自分たちの利益で、それはどうしたら達成できるか、はっきりと自覚して行動できる合理的な主体。あるいは従うべき規律を認識し、それに自己を従わせることのできる自律的な主体。しかし、人々が不安と不確実性にさらされた時代には、そうした主体の存在をたやすく想定できません。

不安定性と社会運動

3・11後の東京の路上では、放射能汚染の不安に駆られた人々、それまで受け入れてきた権威への信頼を失った人々、これまでの自分の無関心を強く後悔した人々が、混乱の中で路上に飛び出し、さまざまな「器」を形成し、手探りで行動を起こしてきました。それは、理解できない他者（外部）の影響を排除できない脆弱な個でありながら、そうした他者との境界が曖昧な状態の中に生じる情動を政治的な「力」に変える個であり、それを私は、運動の流れに「溶けた」個として論じてきました。

人々が不安定性にさらされた状態を「可傷性（ヴァルネラビリティ）」と呼び、政治思想の根幹にすえるのが、フェミニズム思想家のジュディス・バトラーです。バトラーの政治思想が描く身体とは、「私のものであって、同時に私のものでない」身体です。それは「最初から他者の世界に差し出されたもの」であり、「他者の痕跡を刻まれ、社会生活のるつぼの中で形成されている」ものです。[5]

近著『アセンブリ』でバトラーは、二〇一一年のウォール街やエジプトのタハリール広場に現れたような街頭の政治に、こうした脆く傷つきやすい身体が連帯する政治行為を見出します。社会運動が不安定性に抗するとき、それは相互依存や可傷性を乗りこえようとしているのではなく、「可傷性と相互依存が生存可能になるような諸条件を作り出そうとして」いるのだとバトラーは述べます。脆弱な身体を運動の中に置き、他の人とともに行動する中で、政治的な要求が立ち上がってくるのだといいます。[6]

バトラーは、こうした脆弱な身体の政治を規範理論に接続して、このように語ります。「不安定性《プレカリティ》への私たちの共有された曝されはまさしく、私たちの潜在的平等の一つの基盤であり、生存可能な生の諸条件を共に生み出すという私たちの相互的義務の一つの基盤である」[7]

私はこの文章の前半には賛成しますが、後半には違和感を覚えます。バトラーは自己が外部に開かれた状態の中で、お互いの生が存続可能となるよう行動することを義務と表現しますが、義務であるなら、それを内在化して自らの行動を律する主体が必要になるように思えます。そうした主体は一体どうやって生まれるのでしょうか。

もちろん、私たちは不安定性にさらされた脆弱な存在だと自覚するからこそ、連帯して、そのような存在でも生存できる環境をつくってゆかねばなりません。その一方で、私たちは脆弱な存在だと自覚するからこそ異質な他者を拒みます。致命的な転落を免れようと、現状のシステムや価値観に適応するために、ひとりひとりが孤独な闘いを強いられます。連帯と排除や孤立という両極端の態度は、身体の脆弱性の自覚という同じ源流を持ちます。

不安で脆弱な個を道徳義務と接続することへの疑問は、二章のケアの倫理の議論でも触れました。私たちの脆さを強調し、近代的主体を批判する一方で、ケアの提供者、あるいは義務の履行者として、最終的には近代的主体を呼び戻すこれらの思想が、無力感の底にある身体まで届くとは、私はどうしても信じることができません。

3・11後の反原発運動に見られた「溶けた個」たちは、義務を語っているわけではありませんでした。行動することは究極的に「自分のため」、自分の願望として語られました。彼らは、他者に開かれ、うねりに巻き込まれ、自分の意図とは別のところへと着地することは「心地よいこと」だと言います。他者の痕跡を刻みこまれた存在として、自分の情熱や信念に従うことは彼らにとって「誇らしいこと」なのです。それは「そうしなければいけない」という義務ではなく、「そうしたい」という自身の内部の欲求に基づいています。

「外」に向かう願望

外部へと開くことを、「すべき」という道徳義務ではなく、「したい」という個人の願望として語り直す思想が存在していないわけではありません。

例えば思想家の東浩紀が震災後に提唱した「観光客の哲学」を見てみましょう。東のいう観光客とは、固定的な社会関係やアイデンティティに支配された予測可能な日常の領土と、アイデンティティを失って偶然性に開かれた外部を行き来することで、新たな視座を獲得する存在です。観光客を突き動かすのは、境界の外に開かねばならないという義務心ではありません。観光客は好奇心によって開くのです。寛容さを道徳的義務として強調するリベラル思想が敬遠される時代に、東は人々を偶然性（外部／他者）へ開かせる倫理を、個々人が持っている世俗的な欲望や、それを満たす消費行為と接続しています。[8]

しかし観光客の哲学では、絶望の底にある身体の現実は反映しきれていないように思います。観光客には帰るべき場所があります。外の探索から戻る安定的な日常の領土を持っています。一方、震災のような出来事が明らかにするのは、そうした私たちの日常そのものが脆弱になっているということです。境界侵犯は、安定的な内部からカオス的外部へ「観光する」という一時的で能動的な行為とは限りません。むしろ災厄のように、予測不能な形で強いられることのほうが多いでしょう。都合の良いときだけ外部を探索して他者と出会い、それ以外のときは切り離す――という主体を想定することはできません。

私たちは切り離したつもりの異質な外部の他者とも実はつながっています。そして常に予期せぬ力にさらされています。だからこそ異物を排除して境界を強固にしたいという衝動、より安定的な「内部」を求める衝動が生まれるのです。問わねばならないのは、私たちがこの脆弱性にもかかわらず、なぜ完全に閉ざすことではなく、外部に開いたままでいることを望むのか、ということです。

「観光」は能動的な境界侵犯といえますが、一方で「災厄」は受動的な境界侵犯です。3・

11後の反原発運動参加者の語りの中にも、受動的な響きがありました。自分の日常を支えてきた土台に亀裂が生じたとき、これまで思考の域外に追いやってきた他者が彼らの視界に流れ込んできた、というものです。それは原発立地地域の人たちであり、原発労働者であり、未来の人たちです。もちろんこうした受動的な境界侵犯は災厄に限られません。反原発運動参加者の中には、肉親の死や精神的な消耗という、個人的な亀裂の経験を語る人もいました。

そのような痛みをいったん受け入れたうえで、そこからより良い状態を模索するため、何かに突き動かされるように人々は行動を始めました。それは亀裂から入り込んできた他者と、新しい関係性を築きながら、自らの生をより充実させようとする試みでした。

ここに受動と能動の重なりがあります。それは全共闘を「つかまれてしまった」経験[9]として振り返る小阪修平の言葉にも見られます。自分の生を予想もしない方向に押し流す運命を肯定したうえで、それに完全に身を任せるわけではなく、自分の能力を生かして、内部からその流れに変化をもたらそうとする、能動的な行為のことです。

このような受動と能動の重なりが、運動に「溶けた個」の特徴といえます。つながってしまっている異質なものを遮断して排除することなく、それとともに生きる関係性を探りながら、自らの新しい可能性を開くことを望むのです。こうした、他者に開かれ絡まり合った「複数的な個」を見るとき、意図を持って行動する主体とは別の行為体のイメージが立ち現れます。同時に、「主体と、それに働きかけられる客体」という関係とも異なる個体の関係性を考えることも可能となります。

ミシェル・フーコーは、主体を前提にした関係を「愛」と表現する一方で、「溶けた個」の関係性に近いものを「情熱」と表現しています。情熱は主体性を欠くもの、起源もなく「ただ訪れる」ものであり、私たちは理由も分からないまま、つかまれるのです。情熱の中にいるとき私たちは「自分自身であることには意味がなくなって」しまいます[10]。情熱を、主体でも客体でもない存在が絡まり合う混成状態としてフーコーが描くとき、それは3・11後の路上の「溶けた個」たちの、受動と能動の重なった運動様式を私に思い起こさせるのです。

「力」の再定義

3・11後の反原発運動が示唆する、このような行為者性や関係性から、どのように現代社会の希望を語り直すことができるでしょうか。

不安定で先行きの見えない社会の希望は、本来であれば安定や秩序を取り戻すものとして描かれるでしょう。自分たちの世界を理解し、その理解に基づいて社会をより良いものにしようと行動する主体性を回復しなければならない、という訴えがなされるのが通常です。

しかし災厄は、このように世界を理解し、自らの都合の良いように制御して安定をもたらす力の源泉に亀裂を入れます。その中でなお、無力感に囚われることなく行動する人々が、3・11後の路上には見られました。彼らは、不安定さや不確かさにさらされていても、私たちには行動を始める力があると示しています。それは忘れっぽくて怠惰で、どこに向かうべきか分からない私たちが、他者とともに手探りに進んでゆく力でした。このような「力」は、私たちが普段、政治を語るときに思い浮かべる「力」、つまり権力とは別のものです。

ジョン・ホロウェイは、力を「させる」力（Power-over）と「する」力（Power-to）に区別します。[11]「させる」力は上位の主体から下位の客体に垂直的に行使される権力ですが、「する」力とはアクターに内在する力一般であり、主体と客体の区別や、それらの垂直的な関係は前提となっていません。

近代社会は「させる」力を駆使して発展しました。主体である人間が物質のふるまいを理解し、作用のメカニズムを解明し、それを制御することでより豊かに、便利に、安全になりました。ですが、「させる」力は、支配されて力を利用される「客体」を生み出しました。現代社会における「させる」力（＝権力）は巧妙に行使され、いつの間にか私たちは主体ではなく客体になってしまいました。そこでは物質だけでなく人間も管理と制御の対象になります。それは私たちに、市場で価値のある労働力になることを望ませます。充実した生への欲求を、消費によって満たすことを望ませます。そして私たちは、自分の生に備わった別の可能性を忘れてゆきます。

しかし「させる」力によって無力化されている存在にも「する」力が備わっているとホロウェイはいいます。そうした「する」力の最初の表明が「叫び」です。そこには、与えられた役割が引き起こす痛みを拒絶し、「叫び」を上げる身体があります。そのような身体が路上で見知らぬ者たちと出会い、新しい関係性を築きながら、自分の身体に備わった別の可能性を探ってゆきます。

「させる」力に生じる亀裂の一つに、ホロウェイも災害を挙げています。それは、人間という主体が自然の力を飼いならし、都合良く利用する力の綻びです。その混乱の中では様々な力が渦巻きます。もちろん、主体としての「させる」力を再び取り戻そうとする動きも当然あります。ですが一方で、この力が衰えたときに顕在化した「する」力のほうをより強くして、オルタナティブを創造する模索も始まります。

私という個体、あるいは私たちの社会は、そのシステムの外部とされている世界から決して切り離すことができず、常に予測できない力の侵入にさらされています。私たちの生はいつも自らの予測や制御を超え、その意味でいつも脆弱で不安定です。しかし3・11後の路上の政治は、私たちが予測不能の力の前に完全に無力ではないことを示しています。その相手が自然であれ国家であれ他者であれ。

3・11後に路上に飛び出した人々は、初めから何をすべきか、何をなしうるか、明確に知っていたわけではありません。ただ不安や怒りや後悔でいてもたってもいられず、突き動かされるように行動する中で出会った他者に学び、情熱をもらって次の行動をとり、そこで出会った人たちを変化させていきました。周囲の環境や自己の運命を制御する力がないとしても、私たちは自分や近接する存在に変化をもたらす力を持ちます。その変化が互いにとって好ましいものとなるよう互いに努力することができます。

抵抗とは、支配してコントロールする力（させる力）を奪い返すことではなく、私たちの「する」力を「させる」力から解放することだとホロウェイは述べます。[12]

承認と尊厳

3・11後のデモ参加者たちが語る、運動の中に「溶けた個」、他者に開かれた「複数的な個」は、政治的な「力」の概念に新たな示唆を与えます。それに基づき、これまでとは異なる希望の語りを考えていきたいと思います。

より良い生を求めるとき、人々はどのような概念に希望を託してきたでしょうか。もし確固としたアイデンティティを持ち、それに基づく利益も明確に分かっている個人であれば、自分の身体を支配しようとする権力からの「自由」を求めるでしょう。あるいは自己決定の「権利」を求めて闘うでしょう。しかし、私たちの多くは、日常の中で自分の将来も自分の利益も、時として自分の望みすら不確かな状態に置かれています。

そのような私たちの生の不確かさを真摯に受け止めたとき、どのような提言が可能でしょうか。何か明確な力に生存が脅かされているなら、そうした力から「保護」されること、そしてその生を取り巻く環境が、生存に適したものになるよう「配慮」されることが生の肯定といえるでしょう。

私たちの多くは、自らの「する」力を行使することが難しい環境に置かれています。そこで、むしろその力を自ら抑制し、「させる」力に従属することで、生存のための最低限の安定を確保しようとします。人々はこの社会で「いっぱし」と認められることを望み、そのために膨大な時間とコストとエネルギーを投じて自らの価値を高めます。

こうした中で、「承認」という概念が注目を集めてきました。秋葉原無差別殺傷事件が社会に衝撃を与えた後にも、識者からは「無条件の承認」の必要性を説く声が上がりました。社会が求める役割を果たす能力、市場価値を生産する能力の有無にかかわらず、すべての生に価値があると認められ、尊重されるべきだという議論に異論はありません。ですが、この「答え」が、疎外された生にどれほどの希望を与えるのか私は分かりません。あらゆる生に無条件の承認を与える慈悲深い権威は、誰がいつどうやって実現させるのでしょうか。私たちがみな脆弱で不完全であるときに。

承認されることを望むなら、承認してくれる誰かを待たねばなりません。しかしそもそもなぜ自分の生を承認してもらわなければならないのでしょうか。問題は、生の意味や価値が、承認によって生まれるという考えそのものではないでしょうか。より喫緊で、より現実的な課題は、私たち自身が私たち自身によって不安定な生――自分自身の生、あるいは日常で実際に出会う誰かの生――を肯定する方法を見つけることです。

日常に閉塞を感じ、戦場に希望を見出す人は、本当に承認を求めていたのでしょうか。秋葉原事件の加藤智大が、「社会（他者）との接点」を求め続けたのは、承認されるためでしょうか。加藤は手記で、彼と同じように「自分が無い人」の犯罪を止めるために何が必要か思考をめぐらせます。興味深いことに、彼の提案の多くは、「誰かのために」何かをするということです。例えば自分の能力を生かした「ボランティア」を提案して、このように述べています。「目的のある苦労は苦痛ではありません。むしろ、生きがいです」[13]

他者を殺めておきながら、なぜ加藤は唐突に他者への奉仕を語るのか。彼の苦痛は他者からの承認がないことより、自分の存在が周囲に好ましい変化をもたらしている実感がないことに生じていたのではないでしょうか。だからこそ彼は他者と関わり合い、現実世界に何かしらの変化をつくる機会を持つことこそ、自分のような犯罪者を生み出すことを防ぐと考えたのではないでしょうか。

だとすれば問題は、加藤が希望を承認に託したことです。他者とともに変化をつくるのではなく、承認を通じて自分の生を肯定しようとし、その結果、承認を与える人々の都合に合わせて自分を変えることしかできなくなったことが問題なのです。現代社会の疎外を承認の問題に結びつけることで、私たちの変化を生み出す力は忘れられてしまいます。では、承認という概念に希望が見出せないのなら、不安の時代の希望を何に見出せばいいのでしょうか。

承認とは、「承認する」主体と「承認される」客体を分離します。ですが、一つの生は他者とつながり合ったものであり、個々に独立したものではなく、だからこそ個人のアイデンティティも、それに基づく利益も明確ではありません。それらは周りの環境との作用で、常に変化しています。生の流動的で不安定な側面に注目し、そうした存在に備わった力を肯定するためには、これまでと異なった概念が必要です。

人類学者のティム・インゴルドは、独立した個体の生のイメージと、複数的で混交的な生のイメージを印象的な言葉で対比させています。生命体とは伝統的に、境界と領域を持つ「ブロブ」（小さな塊）として考えられてきたとインゴルドはいいます。それに対して彼が提示するのが、「ライン」（線）としての生です。線としての生は、質量を持たず、外部と内部の境界もありません。それが持つのは領域ではなくエネルギーです。[14]

生を線と考えるとは、具体的にどういうことでしょうか。私たちの身体はもちろん質量を持ち、境界を持ち、外部から区別される領域を持ちます。自分を他者から隔てるアイデンティティがあります。しかし一つの生は、そのような領域や定義だけでは説明できません。線としての生とは、おのおのが周囲の影響を受けてつくる動きのパターンや、それが周囲に与える影響といったものを指しています。このとき個体は名詞ではなく、動詞なのだとインゴルドは語ります。

線としての生は、小さな塊としての生とは異なる関係性を持ちます。小さな塊としての生が集まると、融合か集合の形を取ります。融合の場合は、各個体を隔てる境界が失われて、それぞれの個性は集団の中に消えてしまいます。集合ならば、個性は消えません。各個体はそれぞれの境界を保つ独立した存在として集います。これは近代的な個の考え方であり、これをもとに政治は連帯を説き、倫理は配慮を説きます。

一方、線としての生が集まるとき、それは集合でも融合でもなく、絡み合う相互浸透として表現できるとインゴルドは述べます。それぞれの個体は個性を保ったまま、その形を変えてロープのように結びつき、ダンスをする身体のように相互作用しながら、新しい展開を生み出すのです。

このような生の力を肯定するとき、私はホロウェイが強調する「尊厳」という言葉が最もふさわしいと感じます。尊厳が満たされた状態とは、生の脆弱さが承認され配慮された状態ではなく、脆弱な生が他の脆弱な生と関わり合いながら、それらにとって望ましい変化をつくり出している状態だと私は考えます。

尊厳の満たされ方は個人の傾向や環境によって異なるので、向かうべき到達点を示すような、普遍的な希望とはならないでしょう。しかしこのような尊厳の希求は、それぞれが行動することを内側から励ます希望になります。それは、これまでと異なる関係性を築き、異なる動き方をしてみたいという情動を生み、それぞれの身体が囚われている現状を拒絶する勇気を生みます。

災厄とポストヒューマニズム

他者とつながり合った身体に注目し、そこから新たな関係性や知の枠組みを引き出そうとする思想に、ポストヒューマニズム（ポスト人間主義）があります。それは内部と外部という境界を問い直す思想です。

現代は分断社会といわれます。そこで主に語られるのは、「我々」と「彼ら」という集合的アイデンティティをめぐる分断です。しかし現代社会の問題をより深く見てゆくと、問題は人間社会のアイデンティティをめぐる分断にとどまりません。そこで、人間と人間以外のものの間に引かれた境界や、生命と非生命の境界まで問い直すのが、ポストヒューマニズムです。それは、対象に意味を与えて制御する「主体」（＝人間）と、意味を与えられて制御される「客体／対象」（＝動植物、物質）という明確な分離に異を唱えます。

この思想は、日本ではとりわけ震災後の社会で注目を集めています。それまで自己完結的な主体として生きてきた人々が、震災を経て、それまで沈黙させてきた「他者」と向き合いました。人間が一方的に制御の対象にしてきた物質作用が、地震や津波、原発事故によって想定外の力を露出して、人間に多大な被害を与えたのです。また首都圏の人々にとっては、それまで視野になかった地方の人々の暮らしや思いに向き合う体験でもありました。それは現代社会を生きる私たちが、未来の人々の生を実感した瞬間でもありました。そうして、これまで境界の向こうに追いやっていたものとのつながりが明らかになったとき、新たな関係性を模索する試みが始まったのです。
不可視化されてきた複雑な関係性の再考を、人間と自然環境という文脈で論じるとき、「人新世」という概念が用いられることもあります。人新世とは、人間の活動が環境に重大な影響を及ぼすようになった時代を指す、完新世の次の地質学的区分です。その示唆は、単に人間が、地質学的な影響力を持つアクターになったということにとどまりません。『人新世の哲学』の中で篠原雅武は、人間の行為が自然環境との間の相互連関に絡みとられる中で、予見できない影響が生じて人間を脅かすようになったという示唆も人新世の概念に含まれるとし、その例を東日本大震災に見出しています。[15]
ただし人新世という言葉自体は、人間が自然に地質学的な影響を及ぼす時代区分を表すのみで、こうした時代に人間が他の「もの」たちと、どのような関係を築きうるかについての一致した示唆は持っていません。人新世の危機を前に、主体としての人間の力を再び取り戻すことで危機を乗り超えてゆくというような、近代的価値観を前提にした議論もあります。
近代的主体の概念は私たちの思考に深く根付いており、ポストヒューマニズムの中でも、これを前提にするかしないかで、まったく異なる提案がされています。例えばポストヒューマニズムが提示する、他者に開かれた身体の最も有名なイメージは、「サイボーグ」です。このイメージを提示したフェミニズム思想家のダナ・ハラウェイは、自己完結したアイデンティティを求めることなく、理解できない異質なものと連帯することも恐れない存在を、「サイボーグ」

的な存在として、そこに新たな政治の方向性を見出しています。[16]

ここでハラウェイは、人間と物質の相互侵犯がもたらす、予想不能な創造を歓迎します。これは、人間の利害や意図のもとに、人間以外のものを制御しようとする「人間中心主義」を批判する立場です。しかしハラウェイ自身も認めていますが、「サイボーグ」は両義性を持つ概念です。それは機械との融合で人間の能力を増強したり、不死を実現しようとしたりする文脈でも語られます。こちらは、自らの意思で自らの運命を制御し、脆弱さを克服する近代的な主体像を踏襲しています。物質との融合によって、その能力をさらに強化しようとする人間中心主義的な立場で、より狭義にはトランスヒューマニズムと呼ばれる流れです。[17]

このように、ポストヒューマニズムは境界侵犯を歓迎する点で一致しても、その示唆には対照的ともいえる議論を含む、誤解を招きやすい思想です。ですが、災厄後の知のあり方を考えるとき、人間中心主義を批判するものとしてのポストヒューマニズムは重要です。人間の予想を超える力が引き起こす破断を、どのように自らの生に織り込んでゆくのか。もちろん異質な他者との遭遇が、必ず創造的な結果をもたらすとは限りません。それでも人々は、その遭遇が単なる破壊で終わることがないように力を尽くすことはできます。災厄の破壊の中から、新しい関係性や生き方をつくり出そうとする人々のように。

「集合体」の創造

ポストヒューマニズムを、物質が人間に与える予想外の影響に注目する思想として見るとき、それはニューマテリアリズム（新唯物論）と呼ばれる思想とも重なります。ニューマテリアリズムは、物質を不活性で変化しない存在とみる一般的な見解に異を唱えます。生命、非生命を問わず、物質はみな変化の過程にあり、相互作用して新しいものを生み出すことのできる存在と考える思想です。[18]

ニューマテリアリズムの思想家たちは、こうした創造的な物質が互いに影響を及ぼし合うシステムを、ドゥルーズとガタリの哲学を参照しながら、「集合体」という概念で表現します。[19] 個体も社会的共同体も、多様なアクターが複雑に絡み合った集合体として、相互作用によって変化し続けているというのです。

人間の個体という一つのシステムは、さまざまな物質の集合体です。同時にその個体は、その外側の自然環境からの影響にさらされているという意味で、さらに大きな集合体の一部でもあります。一つのシステムの内部と外部に明確な境界はなく、それらは絡まり合っています。

こうした集合体の中では、個々のアクターが意図を持って行動しても、それぞれの行動が影響し合った結果、集合体として生じる効果は個々の意図を超えてしまいます。[20] 災害もこうした集合体の予期せぬ結果といえるでしょう。集合体のネットワークの中の私たちは、明確な意図のもとに自分自身や周りの環境を制御して、目的を成し遂げるような自律的主体とは呼べない存在です。

私たちの自律性や主体性を疑うことは、一般的には無力さの肯定と理解されます。しかし3・11後の路上の実践に目を向けると、災害によって自律性や主体性を揺るがされた人々が、衝動的に路上に出て、そこでの出会いから情熱をもらい、思考し、新たな政治アクターになってゆく過程がありました。ここにあるのは、理解不能なものを定義づけ、理解して制御するような「主体性」とは別の行為能力でした。それは常に変化し続ける不確実なシステムの中で、その一部として、異質な他者に応答しながら自らの生をつくり直してゆく能力です。

ニューマテリアリズムの思想家たちは、そのような力があらゆる物質に備わっていると考え、その力を、中央統制がないまま展開する「自己組織化」という秩序から説明します。これは単純な因果関係によって説明できる秩序とは別の秩序です。自己組織化システムでは、変化は決められた終着点に向かうわけではありません。構成要素の性質から機械的に導かれるわけでもありません。ですが一方で、完全な偶然に左右されるわけでもありません。それは一つのシステムとされる領域の外部から、新しい不安定化要素を取り込んで、新しい環境に適応するためにシステムを再編成してゆくことと説明されます[21]。

それは3・11後の路上の政治に当てはめるなら、慣れ親しんだ自分のテリトリーの「外」から突然流れ込んだ異質なものの影響を受け、混乱し迷いながら、それにどう応答できるか探ってゆくことです。

抵抗の知性

ポストヒューマニズムやニューマテリアリズムが描くように、世界を、あらゆる物質が絡まり合ったネットワークと考えてみましょう。一つのシステムとして機能する個別の領域（個体、社会など）はありますが、システムは常にその範囲の外からも影響を受けているので、システムの内部と外部に厳密な境界線を引くことはできません。

こうした中では、作用を与えるもの（主体）と受けるもの（客体）の役割は固定されていません。それどころか、主体と客体をそれぞれ独立した個体と考えることも困難です。それらはつながり合って影響し合い、常に変化しているからです。

このとき一つの問題が生じます。私たちは、このような世界をどうやって知るのでしょうか。ここでは、混沌とした世界を「外側」から客観的に観察する主体がいて、観察対象を意味付けモデル化するという、一般的な知の構築の作法が通用しません。こうした世界を「知る」、あるいは「理解する」とはどういうことなのでしょうか。

私たちの知性は、予測不能なカオスを秩序化することで理解してきました。科学によって複雑な因果関係を把握し、リスク要因を特定し、予測を立ててきました。テクノロジーを駆使して危険を除去し、確実性や安全性を高めてきました。

災厄によってこうして安定的に統治されていた世界に突然亀裂が生じ、制御不能の力が外部から侵入すると、現象のメカニズムを理解し予測を立てるといった、世界を「知る」主体としての人間の能力に疑念が生じます。科学がどれほど正確さを極めようとしても、亀裂を完全には防げません。現代社会のリスクを構成しうる要素をすべて洗い出すことは極めて難しく、たとえ不可能ではないとしても膨大なコストと時間を要します。原発に絶対的な安全性を求めることも、破局を予測する決定的な根拠を提示することも困難です。こうした知の空白が責任の空白となり、生を脅かすリスクが芽を吹くことになります。

あくまで自然を客体として人間に従属させ、制御しようとする近代科学のパラダイムの象徴が原発だと、フランスの哲学者エティエンヌ・タッサンはいいます。これは理解不能の他者を排除し、世界を秩序づけ、安定を確保する知でしょう。しかしこうした知に依拠する社会システムの脆さが明らかとなったいま、タッサンは別の選択肢も提示します。それは「自然や世界に対する支配、制御、所有、我有化、搾取という複合的パラダイムはもはや妥当ではないのではないか」と問い、別の関係性を模索することです。[22]

世界を秩序づけ、エネルギーを制御し、利益を増大しようとする知性は、より豊かで安全で自由な世界をもたらしてきました。しかしこの「私たち」の進歩の原資として、物言わぬ（ようにさせられた）他者の生が脅かされ、未来の可能性が収奪され、いまや「私たち」が広げてきた安定的な領土すらも、高度な科学技術がもたらした複雑で予測不能な相互連関によって、内側から侵食されています。これまでと異なる世界の関わり方を示す知が必要とされているのは間違いありません。

こうした中でこそ、人間の価値観に重きを置く人文社会科学によって知の再構築を図るべきだとの議論が、3・11後によく聞かれます。しかし問題はそれほど単純ではありません。社会関係が複雑化し、将来が不透明になり、不安の中で生きる人々に、義務としての責任を説き、その道徳的正しさを証明したとしても、いつ発生するか分からない危機に向けて、まだ存在もしない未来の他者のために行動する動機にはならないでしょう。

顕在的な要素を分析してモデル化することで理解できる現象や、普遍的な答えを示すことのできる問題というのは世界の一部分にすぎません。自然科学、人文社会科学を問わず、その限界を認めないと、まだ分からないものにまで確定的な答えを示してしまいます。そして潜在的な可能性や、存在するけれどもまだ意味や価値を与えられていないものを思考から追い出してしまいます。

求められているのは、空白に潜む可能性を手探りする知性です。3・11後の路上には、こうした知性が育まれていました。異質な他者に身をさらすことで、自分の中に予想もしなかった情動が生まれ、それまで考えてもみなかった行動をとるようになり、そうした個々人の集合体が、社会の中に反響を生みます。そこに見られるのは、侵入してきた他者に応答しながら、自分自身の身体も巻き込まれている不安定なシステムを再編成してゆく知性です。他者に開かれた身体に生まれ、情動の形で伝播し、個人がそれぞれの置かれた環境で「どのように生きうるか」という可能性を探る実験を励ます知を、私は前章で「アフェクティブ」な知と表現しました。

この知は、学者が市民運動を観察することで運動のメカニズムを解明したり、あるべき政治参加の形を提示したりして、運動や社会の本質を見つけ出すような知ではありません。運動も社会も、私たち自身を巻き込みながら変わっていきます。こうした中で「知る」とは、現象を観察して本質を理解することというより、現象の内部で、ともに変化を生み出してゆく中で、個々の身体に感じられるものです。

知ること・行動すること・存在すること

世界を理解する主体を、理解される対象である世界から分離して、現象を「外側」から観察することで知識を生産する――というのは、私たちになじみ深い知の慣習です。行き詰まりを見せているのはこのような慣習であり、こうした思考様式を最も明快に批判するのは、実は現代自然科学です。理論物理学の博士号を持つフェミニズム思想家であり、ニューマテリアリズムの思想家のひとりにも数えられるカレン・バラードは、量子力学から教訓を引き出して、このように述べています。「私たちは、私たちが理解しようとしている自然の一部分である」[23]

バラードは、彼女が「エージェンシャル・リアリズム」と名付ける考え方で世界を説明します。それによれば、世界は独立した個体が相互作用（interaction）しているのではありません。それぞれ異なる傾向を持つ諸々の存在が、分離不能なままに「イントラアクション（intraaction)」、つまり内部作用しあうことを通じて、個体として行為する存在が事後的に現れてくるのだといいます。それは、運動の内部で他者とつながりながら、変化を生み出そうとする過程から政治的アクターが現れるという、私が3・11後の反原発運動に見てきた現象と重なります。

こうした状況下では、知る行為は知ろうとしている現象の内部で、現象の一部として行われます。そして知る行為は、知ろうとしている対象に変化をもたらしています。ここでは、知る対象を客観的に眺め、その本質を正確に表象するという行為は意味をなしません。「知った」とき、すでにその対象は変化しているからです。量子力学の哲学的示唆が魅力的なのは、変化を起こすことと、知ること、存在することが、分離不能な状態で絡まり合っていると示すからです[24]。知ることは変える／変わることであり、変える／変わることが存在することだというのは、極めて力強い政治哲学的メッセージであり、同時に倫理的メッセージだと思います。

物理学者で国際政治研究者の内藤酬も、同様に量子力学から現代社会への哲学的示唆を引き出しています。「全体から切り離された認識主体を考えることも、認識主体から独立な客観的世界を考えることもともに擬制でしかない」と内藤は主張します[25]。バラードが「イントラアクション」という言葉で解説する物質現象を、内藤は「量子場の相互作用」と説明しています。それは人間社会においても物質世界においても、新しい個の考え方や、それに基づく新しい関係性を示唆するといいます。

近代科学（ニュートン力学）は、独立した粒子の相互作用から現象を解明してきました。同じように近代市民社会もまた、独立した「原子的個」から構成されると理解されてきたと内藤はいいます。こうした認識のもとで主体と客体が分離され、人間が自然を、あるいは人間が人間を対象化して支配する権力関係が生まれました。

一方の現代科学（量子力学）が示唆するのは、個別性を維持しつつも、他とつながり合った存在です。内藤はそれを「場所的個」、あるいは「量子的個」と呼びます。それは「『量子場の相互作用』がつくりだす場のゆらぎを媒介として、他の『量子的個』と関係を結び、そこに無限に多様な個と個の共同性をつくりだ」[26]します。こうした個の認識は、支配の理論に替わる共存の理論を提示するといいます。

全共闘の時代を経験した内藤は、全共闘運動の中に「原子的」な個から「場所的」な個へ至るせめぎ合いを見ます。対峙すべき権力を自己の外部に見出さず、むしろ自己に内在化されていると考えた学生たちは、独立した「原子的」な個に基づく抵抗論の限界を認識していました。そこで彼らが採用した抵抗の技法が「自己否定」です。しかしこの自己否定の努力を、道徳的な義務として自らに強いる自己は、近代的な自我を持つ「原子的」な個でした。自己否定の義務を、既存の左翼運動の言葉を使って実践しようとしたことで、自己破壊や他者攻撃へと向かうことになりました。だからこそ、自己否定とは近代的主体としての自己の努力を通じてではなく、自己の底にある「他力のはたらき」を感じ、それを開くことに始まるべきものだったと内藤は述べます。[27]

このことを考えるとき、3・11後のデモ参加者が語る「ゆるさ」やユーモアの重要性に再度気づかされます。原発事故によって、自分が知らぬうちに誰かの尊厳を否定するものに関与していたと知ったとき、そういう自己を意識的に反省して否定するより、その不完全さを受け入れたうえで、少しずつ変わっていこうと模索が始まりました。その方法とは、予想もしない偶然に自身を開くことであり、そうやって変わっていくことの楽しさを見つけ出すことでした。「知る」主体、そして政治的・倫理的に「行動する」主体が、複雑で混沌とした世界から切り離された存在ではないということ——六〇年代の抵抗運動が、倫理的主張と、その実践の挫折をもって示した事実は、それ以後、黙過されてきました。しかし災厄によって、その事実がより切迫した形で突き付けられたとき、路上の運動には、それに再び正面から向き合う知性が現れています。

それは、他者とつながり合っているために、それ自体の性質が未決定であり、だからこそ他者とともにどんな変化をつくれるか実験しながら、自己と世界の可能性を「知って」ゆくという知性です。それは自分が誰かを問うよりも、自分の存在をどう活かすかを考えて生きることであり、ミシェル・フーコーによれば、「自分自身および他の人間たちとともに個体性、存在、関係性を作り出し、名前のない特性を作り出すこと」[28]です。ポストヒューマニズムの観点から、私は最初の部分を「自分自身および（非人間・非生命も含む）他の存在たちとともに」と読み替えたいと思います。こうした知性を宿した生は、相手が何者かを問うことなく、その価値を見定めることなく、理解できないものとの出会いを歓迎し、互いの存在を肯定する関係性をつくり出してゆくことができるでしょう。

闇夜の希望

3・11後の路上で、私が得た希望とは何でしょうか。この問いを、この章の締めくくりにしたいと思います。

希望はこれまで、私たちを引きつけ、そちらの方に引っ張ってゆくゴールのようなものとして語られてきました。来たるべき社会を描くイデオロギーとして。尊重されるべき普遍的価値として。実現されるべき法制度や政策として。ありのままの自分を認めてくれる庇護者として。あるいは決して完成できない構想でありながらも、「ここではないどこか」を求める私たちが歩いてゆく指標となるようなユートピアとして。

しかしそのどれも、私の希望にはなりませんでした。いったい誰がそれを実現してくれるのか分からなかったし、自分の力で実現しようとするには遠大すぎる希望でした。そうした希望の存在を私が「知る」ことと、疲れ切った身体がそれを目指して、この現実を抜け出そうと一歩を踏み出す「行動」の間には、余りに深い溝がありました。

具体的であれ抽象的であれ、過去に存在したのであれ一度も存在していないのであれ、到達を前提としているのであれいないのであれ、私たちが囚われの現実から抜け出すために、何らかのゴールが本当に必要なのでしょうか。希望とは何でしょうか。解決策や答えのようなものでしょうか。そこに向けて歩くための目標でしょうか。安定を失いつつある身体がすがりつく堅固な岩盤でしょうか。

私たちは、本質や普遍的な原則を通して世界を思考することに慣れきっています。孤独な若者が言語化できない痛みを暴力によって表現するときも、社会学はその犯罪が起きた要因を突き止めることに邁進し、防止策や解決策を進言します。政治学もまた、不安の時代の脆弱な身体を統治する正統な権威や政治システムは何かといった問いを立て、普遍的な答えを導き出そうとします。

ですが、生の尊厳や抵抗の希望について考えるとき、このような知だけで足りるとは思えません。生は「それが何か」「世界はどうあるべきか」「我々はどうすべきか」で答えられる以上のものです。政治学や社会学が現代の民主主義の危機に応答できていないのは、そもそも問い方が間違っているからではないでしょうか。

学術的な探究は、客観的な知を構築しようとします。そのため「私」という主観的な表現は忌避されます。学術的な探究は、確定的なものを起点や到着点に据えます。そのため「私たち」が誰かを定義せずに「私たち」を語ることは批判され、代替がないのに現状を拒否しても批判されます。しかし実際には、抵抗も創造もそこからしか始まりません。何か充たされない

「私」がいる。「私」は偶然にも、ニュースで見た誰かが孤独にもがく姿に無意識に共感し、ぼんやりと「私たち」は希望がないと感じ、いまとは違う「何か」が欲しいと思い始める。そうした定義不能の情動が人を行動へ駆り立てます。

ホロウェイによれば、私たちの出発点は絶望の中の「叫び」です。それは不安であるがゆえに権力に隷従して身動きのできなくなった身体が、その外に出るための最初のエネルギーです。学術的研究は、そこに宿る創造的な力を見落とします。学者は「叫ぶ」人々を政治実践のアクターではなく分析の対象にしてしまうことで、「叫び」の力を奪い取ってしまうとホロウェイはいいます。

学者は事象を研究する際、自分自身を現象から切り離し、三人称の「彼ら」とか「それ」という主語を使って客観的に問おうとします。なぜ「彼らは」叫んでいるのか、「その」叫びは妥当なのかと。一方、3・11が突き付けたのは、知識をつくる身体そのものが、世界を構成する他の力と分かちがたく絡まり合い、不確実性の中にあるということです。分からないままに現象に関与し続けるしかないのです。主語は「私たち」で間違いありません。「私たち」は自らが絡みとられた混沌の中から探索を始めます。重要な問いは「なぜ彼らは叫んでいるのか」ではなく、「叫びから出発した私たちは、いかにして尊厳ある生を実現してゆくか」です。

その実践を3・11後の路上の政治からいくつも引き出すことができます。そこに見られたのは、集合体として絡まり合った、しかし個性は失われていない存在として行動する人々でした。

人々は「器」の中で出会う他者との反響や、「器」を取り巻く社会との反響から新たな情動を得て、行動を生み出します。名もない存在として、他の名もない他者とともに、別の可能性を探ってゆきます。

現実の顕在的な側面を客観的に観察し、分析し、具体的な解答をもたらすような知性は、私たちに欠かせない知性ですが、非常に限定された知性です。それは私たちの直面する複雑な現実や、システムの不安定さ、自己の不確かさ、他者の不可解さ、言語化できない情動や希望といった、生の多くの側面を思考の埒外に追いやります。その知は無力感に囚われた無名の個人が、どのように社会を変えうるかを考えることはできません。政治や社会に関する知が、顕在的でないものを無視し、変化し続けるものを強引に定義するとき、絶対安全とされているものを破壊する致命的欠陥を見落とし、不可能だと思われた希望が実現する可能性も見落とすでしょう。

世界が何であるのか、私たちが何者か——そうした秩序化された定義を受け入れることで私たちの見方は固定され、私たちの望みは狭まり、別の可能性を思考する想像力も消えてゆきます。そのときに可能な抵抗とは、私たちの身体を自分自身も含めた誰の支配下にも置かず、可能な限り未知なるものに開くこと、定義されたものとは別のものになることです。ホロウェイは次のように述べています。

不服従の叫びは非アイデンティティの叫びでもあります。「おまえはこうである」——資本はいつも私たちにそういって、私たちを分類し、定義に押し込み、私たちの主体性を否定し、直説法現在［つまり「である」こと］の延長ではないような未来［つまり「でない」こと］を排除しようとします。「私たちはそうではない」——私たちはそう答えます。「世界はこういうものである」——資本はそういいます。「そうではない」——私たちは答えます。[29]

3・11後の路上で、様々な形で抵抗を実践する人々と出会い、話をすることで、私は自分の中に情動が湧き上がるのを感じました。次はこんなことをしてみたい、こんな人たちと暮らしてみたい、こんなものを創造してみたい。そうした情熱が疲れ切って絶望した身体を内側から支えて、いまある現実の一歩外へと踏み出させます。

希望は個々人の身体の中に宿るものです。私にとって、希望とは闇夜を照らす光ではありません。それは、もがきながら闇を手探りしたとき、偶然に皮膚に触れる誰かのかすかな熱、そしてそれに呼応して自分の内部に生まれてくる熱のようなものです。

注

1 Charles Perrow, "Fukushima and the inevitability of accidents", *Bulletin of the Atomic Scientists*, 67(6), 2011, pp. 45–52. ペローはこうした事故を「ノーマル・アクシデント」と呼んでいます。

2 Alvin M. Weinberg, "Science and trans-science". *Minerva* 10, 1972, pp. 209-222.

3 調麻佐志「奪われる「リアリティ」――低線量被曝をめぐる科学／『科学』の使われ方」、中村征樹編『ポスト3・11の科学と政治』、ナカニシヤ出版、二〇一三年。

4 朝日新聞、二〇一九年九月二十日。判決には、このような内容が含まれていました。「その発生メカニズムの全容解明が今なお困難で、正確な予知や予測に限界がある津波という自然現象について、想定しうるあらゆる可能性を考慮して必要な措置を講じることが義務づけられるとすれば、法令上は原発の設置、運転が認められているのに、運転はおよそ不可能ということとなる」。検察官役の指定弁護士は判決を不服として東京高裁に控訴しました。

5 Judith Butler, *Precarious life: The powers of mourning and violence*, Verso, 2004, p.26.［ジュディス・バトラー『生のあやうさ――哀悼と暴力の政治学』、本橋哲也訳、以文社、二〇〇七年、五九頁］

6 バトラーはそれを「行為遂行的（パフォーマティヴ）な行動」と表現します。Judith Butler, *Notes toward a performative theory of assembly*, Harvard University Press, 2015, p.218.［ジュディス・バトラー『アセンブリ――行為遂行性・複数性・政治』、佐藤嘉幸、清水知子訳、青土社、二〇一八年、二八三頁］

7 Butler, 2015, p.218.［バトラー、二〇一八年、二八四頁］

8 東浩紀『ゲンロン0　観光客の哲学』、ゲンロン、二〇一七年。

9 小阪修平『思想としての全共闘世代』、筑摩書房、二〇〇六年、二〇六頁。

10 ミシェル・フーコー「ヴェルナー・シュレーターとの対話」野崎歓訳、『ミシェル・フーコー思考集成〈9〉自己・統治性・快楽』、蓮實重彥・渡辺守章監修、筑摩書房、二〇〇一年、四四頁。

11　John Holloway, *Change the world without taking power*. 2nd edition. Pluto Press, 2005.〔ジョン・ホロウェイ『権力を取らずに世界を変える』、大窪一志、四茂野修訳、同時代社、二〇〇九年〕

12　Ibid., pp.36-37.〔前掲書、八一―八二頁〕

13　加藤智大『解（サイコ・クリティーク　17)』、批評社、二〇一二年、一五六頁。

14　Tim Ingold, *The life of lines*. Routledge, 2015.〔ティム・インゴルド『ライフ・オブ・ラインズ――線の生態人類学』、筧菜奈子、島村幸忠、宇佐美達朗訳、フィルムアート社、二〇一八年〕

15　篠原雅武『人新世の哲学――思弁的実在論以後の「人間の条件」』、人文書院、二〇一八年。

16　例えばハラウェイは、「サイボーグ」的な存在を以下のように表現します。「人々が動物や機械と連帯関係を結ぶことを恐れず、未来永劫にわたって部分的なままにとどまるアイデンティティや相矛盾する立場に臆することのないような、社会や身体の生きられたリアリティに関わるもの」。Donna Haraway, *Simians, cyborgs, and women: the reinvention of nature*. Routledge, 1991, p.154.〔ダナ・ハラウェイ『猿と女とサイボーグ――自然の再発明』、高橋さきの訳、青土社、二〇〇〇年、二九六頁〕

17　ポストヒューマニズムとトランスヒューマニズムの区別については、例えば以下で触れられています。Cary Wolfe, *What is posthumanism?* University of Minnesota Press, 2010.

18　ニューマテリアリズムは、人間の意味付けの外に存在する物質の力や作用に注目する点で、思弁的実在論と呼ばれるものとも通じます。しかし思弁的実在論の思想家たちは、人間の影響から切り離されたところで世界を記述する方法を探求するため、思考する人間の身体について語りません。一方で私が知りたいのは、「私の脆い身体がいかに複雑な世界と関わってゆくことができるか」です。ニューマテリアリズムは、人間も含めた物質間の相互作用による予期せぬ変化に力点を置き、相互作用による変化こそが存在そのものだと考える点で、思弁的実在論とは異なり、政治や社会思想と親和的だと私は考えています。

19　Manuel DeLanda, *A new philosophy of society: Assemblage theory and social complexity*, Continuum, 2006〔マヌ

エル・デランダ『社会の新たな哲学——集合体、潜在性、創発』、篠原雅武訳、人文書院、二〇一五年」、Rosi Braidotti, *The posthuman*, Polity Press, 2013［ロージ・ブライドッティ『ポストヒューマン——新しい人文学に向けて』、門林岳史監訳、大貫菜穂、篠木涼、唄邦弘、福田安佐子、増田展大、松谷容作訳、フィルムアート社、二〇一九年］、Jane Bennett, *Vibrant matter: A political ecology of things*, Duke University Press, 2010など参照。例えばベネットは、集合体とは「様々な要素、あらゆる振動する物質が、そのたびごとにグループ化されるもの」（Bennett, 2010, p.23）であるとしています。一方で、前出のインゴルド（Ingold, 2015）は「集合体（assemblage）」という概念に否定的です。それぞれの生が輪郭を保ったまま、静的に結合しているイメージがあるからです。上記の思想家らの「集合体理論」が参照するドゥルーズ＝ガタリの原語は、仏語 agencement であり、邦訳は「アレンジメント」となっています。ただし、すでに英語圏で「集合体理論」として定着しているため、本書では「集合体」という語をそのまま使用しています。

20 ジェーン・ベネットによれば、こうした個体は「自らがもたらす影響について、全責任を持つことは到底できない」（Bennett, 2010, p.37）のです。

21 William E. Connolly, *The fragility of things: Self-organizing processes, neoliberal fantasies, and democratic activism*. Duke University Press, 2013.

22 エティエンヌ・タッサン「フクシマは今——エコロジー的危機の政治哲学のための12の註記」渡名喜庸哲訳、村上勝三・東洋大学国際哲学研究センター編著『ポストフクシマの哲学——原発のない世界のために』、明石書店、二〇一五年、四九頁。

23 Karen Barad, *Meeting the universe halfway: Quantum physics and the entanglement of matter and meaning*. Duke University Press, 2007, p.26.

24 バラードはこれを「倫理-存在-認識論（ethico-onto-epistem-ology）」（Barad, 2007）と表現しています。

25 内藤酬『全共闘運動の思想的総括』、北樹出版、二〇一〇年、八〇頁。

26 前掲書、一五七頁。なお内藤は本書において、「場所」の概念を西田幾多郎の哲学からも説明しています。
27 前掲書、三〇頁。
28 フーコー、二〇〇一年、五〇頁。
29 Holloway, 2005, p.151.［ホロウェイ、二〇〇九年、二九七頁］

おわりに

私たちは不安の中に生きています。一歩足を踏み外すと果てしなく転がり落ちそうな中で生きるとき、安定をくれるなら、その権力が虚飾の上に成り立っていても、誰かの尊厳を傷つけていると知っていても、それに従い、それが賢明な選択だと自分に言い聞かせるでしょう。自己肯定感をくれるなら「オルタナティブ・ファクト」も歓迎するでしょう。不安を直視させるニュースを避け、危機を声高に唱える人々をおちょくり、なじみある日常に閉じこもろうとするでしょう。ただし安定も承認も手に届く見込みがないなら、現実を逃れる唯一の希望を暴力に託すかもしれません。不寛容とシニシズムが民主主義を機能不全にし、私たちの手を離れたところで世界は否応なく変動し、生はますます不安定に、社会はますます不透明に、未来はますます不確かになっていきます。

こうした時代に、多くの知識人が危機感を表明しています。反知性主義を批判し、理性を説きます。不寛容を批判し、共生を説きます。シニシズムを批判し、責任を説きます。けれども私は、このような危機を生み出した要因の一つに知識人の側の怠慢があると思います。

学術的な知は希望を描こうとしなかったか、あるいは希望を描いたとしてもそれは、地上でもがく身体には永遠に届きそうにないものでした。多くの学者たちが、自分たちの社会を論じるときでさえ、自身を現象から引き離して論じてきました。変化し続ける現象に強引に理解の網をかけ、答えを引きずり出してきました。世界の複雑さを定義やカテゴリで切り取り、そこから漏れ出す存在には目をつぶりました。

自分もその一部である社会から、どういうわけか自らを切断したことにして「擬制」の外部に立ち、答えを出せないものにまで確定的な答えを与えてきた態度こそが、事実性を歪め、真実の価値を下げ、結果として、虚偽の言説を事実として語る「オルタナティブ・ファクト」のまかり通る素地をつくったのかもしれません。出発点を明確に決めない限り思考を始めず、対象が何者か分からない限り価値を見出さず、到達点がどこか分からない限り創造もしないなら、それは怠惰で臆病な知だと思います。

市場が要求する生産と消費を行うことが「いっぱし」の人間であり、そこからこぼれ落ちた生の困窮が自己責任の言葉のもとに正当化される社会で、「この現実」を拒む衝動、それとは別のものを求める衝動は行き場をなくしています。それはときに暴力的なイメージや、虚構への逃避として表出されます。こうした中で、いま知性が最も必要とされているのは、不確実性の中に飛び込んで、私たちの願望を語る言葉をつくり、私たちの生を肯定するやり方を実践してゆくことにおいてでしょう。

私たちは絡まり合ったクモの巣の中から始めなければならない、とジョン・ホロウェイは語ります。目指すゴールもない中で歩を進め、変化をつくり、そうして変化し続ける環境の中で、実験を続けなければならないのです。自分の立ち位置も、行くあても不明瞭な絶望を受け入れたうえで、そこから希望を生み出す必要があります。そうしない限り、慢性的に不安や疲労を抱え卑屈になっている身体には、嘘くさく感じられるだけだからです。

「いま、私たちは『絶望』することをも奪われてしまっている。もっと、きちんと『絶望』したいし、それを経ることなしに、おそらく私たちの『再生』は展望できないと思います」[1]原発事故から半年後の集会のスピーチで、「私たちはいま、静かに怒りを燃やす東北の鬼です」と語った武藤類子は、事故から八年後のインタビューでそう語っています。

この本では、3・11後の東京の路上に、絶望を経て、そこから新しく生き直そうとする実験の数々を見てきました。福島第一原発の事故は、少なからぬ首都圏の人々にとって、それまで疑いなく受け入れてきた言説や、自らのアイデンティティに強い疑いが生まれた地点です。自分の足元も不確かになり、進むべきゴールも定かでなくなった地点です。

それでも人々は、そこに立ち尽くすことなく先に進むため、路上に向かい、行動してきました。そこには、議会システムを通じて変化を生み出す試みもありました。権力に外側から圧力を加えることで変化を促す試みもありました。自分の生活スタイルを変えようという試みもありました。様々なレベルの実験が影響を与え合い、それらを取り巻く社会状況にも呼応しながら、運動は展開してきました。

こうした市民運動が、来るべき民主主義の「形」を示していると主張するつもりはありません。いまも変化の過程にある運動を切り取り、希望として額に飾ることはできません。路上の政治で生まれているのは、規範や指針ではなく、個々の抵抗の実験であり、それは無形の情動として誰かに伝播してゆきます。私自身もまた、運動に参加する人々の語りを聞くこと、同じ路上で叫ぶことで、それを受け継いできました。そして今後、自分がそこから何を創造し、誰に受け渡してゆきたいのか考え始めました。この運動の一部として、自分の能力を使い、自分や周りの生を肯定する関係のあり方、動き方を探ってゆきたいと感じました。

なぜ私が、普遍的なモデルやゴールを提示する知ではなくて、情動を伝え、個々の身体を触発するような知にこだわるのか。それは不安の中で生きる身体が、現実を変える行動を取ることの難しさを、身をもって知っているからです。他にすがるものが何もない中で、いまとは違う何かを望むことは難しく、私たちは摩耗した心や疲弊した身体でなお、いまここにある現実に適応しようとします。そしてたった一日、仕事を休んで公園で本を読むことも難しくなってしまうのです。

そんなときに理想や正しさを示したモデルを与えられたとして、絶望の底にある身体はそう簡単に動きません。それまで受け入れてきた価値観に「ノー」と叫び、なじみある現実の配置の外側へと一歩踏み出すことを可能にするのは、理路整然とした正論ではないということは、残念ながら世界的なシニシズムや反知性主義の潮流の中で、ますます明白になっています。

闇の中でもがく身体があります。疲れ果て、自分が何を求めているかも不確かですが、孤独や痛みや屈辱を感じ、身もだえしています。闇の中にある身体は、振動することで熱を生みます。そうした身体が近接する別の身体に偶然出会い、熱を伝え合います。身体には新たな情動が生まれ、自分に何ができるか思いをめぐらせ始めます。そのとき、希望は姿を現します。誰かに与えられる答えや解決策としてではなく、自分の身体の内部に宿る情熱として。暗闇の中で足元を照らしたり、行き先を示したりする光ではなく、自分の身体が生み出す熱、すぐそばにいる人が放つ熱として。

現状に「ノー」を突き付け、拒絶する一つの身体から抵抗は始まります。それに対して、どんな言葉が投げかけられるかは容易に予想がつきます。落ち着けとか、怒りは何も生まないとか、社会を批判するより、与えられた環境の中で楽しく生きる工夫をするほうが創造的だとか。けれどもすでにあまりに多くの生の尊厳を奪い、将来もっとたくさんの生を脅かすことが明白なこのシステムの中で、自分がうまく生きのびる工夫だけのために、これ以上自分の創造性を無駄遣いしたくないと宣言することが不毛だとは思いません。

拒絶し創造しようとホロウェイは呼びかけます。それは日常の思考の外に追いやられたものを思考することです。表象されていないもの、明確な輪郭を持たないもの、まだ存在しないもの、価値がないとされているものと交わり、別の配置をつくり出すことです。名もなく価値を見出されていない存在として、やはり名もなく価値も見出されていない他者とともに新しいものを生み出し、それによって互いの存在を肯定することです。

私の探索のきっかけとなったのは、本書の冒頭や、そこかしこに登場するジョン・ホロウェイですが、彼は著書の最後にピリオドを打ちません。彼はメキシコのサパティスタ運動との出会いから編んだ知識を、さらなる出会いへと開いておくことを望んでいるからです。そうすれば人々がそこから熱を受け継ぎ、それをもとに自分たちの闘いに従事し、その闘いから生まれた知識を新たに付け加えることができます。だから私も自分の住む場所から、たくさんの闘いの例を付け加えることにしたのです。

これは公園にいる女の子の物語です。彼女はたった一冊の本（この本）を読むという、シンプルな行為が掻き立てた、あらゆる論争にうんざりして、けれども自分が読んだものにわくわくして、ペンを取り出し、この文章を続けてゆきます。不適応であることが、満ちあふれることであるという人々の例を、もっともっともっとたくさん加えることで。そして続けてゆくのです。なぜなら彼女は、その本が未完結であることを知っているからです[2]

この本の目的は、これまで言語化できぬまま破壊として表れてきた、変化を求める情動の数々と、災厄後の混沌の渦から生まれた路上の政治実践の数々と、研究者としての私の交差上に、抵抗のためのひとつの小さな知を創造することでした。それがこの運動の外の、絶望の中にある身体に受け渡されればよいと願いながら書きました。それが私を支える希望だからです。

ホロウェイに倣って、私も最後は句点を打たずにおこうと思います。この知を永遠に、新しい出会いに向けて開いたままにしておくことで、この本に登場したすべての生存のための闘いを肯定するために

注

1 「武藤類子さんロングインタビュー」（聞き手・植松青児）『週刊金曜日』一二二三号、二〇一九年。

2 John Holloway, *Crack capitalism*. Pluto Press, 2010, p. 262. 筆者が原著から訳出。

田村あずみ（たむら・あずみ）
1980年生まれ。立命館大学国際関係学部卒業後、新聞社勤務を経て、英国ブラッドフォード大学大学院博士課程修了。著書に「Post-Fukushima Activism: Politics and Knowledge in the Age of Precarity」（Routledge, 2018）。現在、滋賀大学国際交流機構特任講師、立命館大学国際地域研究所客員協力研究員。

不安の時代の抵抗論——災厄後の社会を生きる想像力

2020年6月10日　初版第1刷発行

著者 ——田村あずみ
発行者 ——平田　勝
発行 ——花伝社
発売 ——共栄書房
〒101-0065　東京都千代田区西神田2-5-11出版輸送ビル2F
電話　03-3263-3813
FAX　03-3239-8272
E-mail　info@kadensha.net
URL　http://www.kadensha.net
振替 ——00140-6-59661
装幀 ——北田雄一郎
印刷・製本——中央精版印刷株式会社

ISBN978-4-7634-0931-7 C0036